『天工开物』——中国大发明』书系

髹饰
——漆的故事

华觉明　冯立昇　主编

长　北　著

U0255669

中原出版传媒集团
中原传媒股份公司

大象出版社

·郑州·

图书在版编目（CIP）数据

髹饰：漆的故事／华觉明，冯立昇主编；长北著. —
郑州：大象出版社，2022. 12
（"天工开物——中国大发明"书系）
ISBN 978-7-5711-1631-6

Ⅰ. ①髹… Ⅱ. ①华… ②冯… ③长… Ⅲ. ①漆器-
工艺美术史-中国-古代 Ⅳ. ①J527-092

中国版本图书馆 CIP 数据核字（2022）第 174681 号

"天工开物——中国大发明"书系
XIUSHI

髹饰

——漆 的 故 事

长　北　著

出 版 人　汪林中
选题策划　张前进
责任编辑　成　艳
责任校对　安德华
装帧设计　付锞锞
责任印制　郭　锋

出版发行　**大象出版社**（郑州市郑东新区祥盛街 27 号　邮政编码 450016）
　　　　　发行科　0371-63863551　总编室　0371-65597936
网　　址　www. daxiang. cn
印　　刷　河南瑞之光印刷股份有限公司
经　　销　各地新华书店经销
开　　本　890 mm×1240 mm　1/32
印　　张　8. 75
字　　数　94 千字
版　　次　2022 年 12 月第 1 版　2022 年 12 月第 1 次印刷
定　　价　56. 00 元
若发现印、装质量问题，影响阅读，请与承印厂联系调换。
印厂地址　武陟县产业集聚区东区（詹店镇）泰安路与昌平路交叉口
邮政编码　454950　　　　　电话　0371-63956290

总 序

　　中国的"四大发明"因其对近代世界历史进程产生过重要影响而备受国人的关注，"四大发明"的说法也广为人知，但"四大发明"是源自西方学者的一种提法，这一提法虽有经典意义，却有其特定的背景和含义，它远不能全面地反映中国的重大发明创造与技术文化传统。中华五千年文明史上的重大发明远不止这四大发明。20世纪以来特别是近几十年来中国的科学技术得到了快速的发展，在社会和经济发展中扮演着越来越重要的角色。中国历史上究竟有哪些重大发明创造，不仅受到学界的关注，也成为公众关心的问题。要想实事求是、客观科学地回答这个问题，必须在中国科技史研究的基础上作进一步的探索和梳理，从中遴选出具有原创性、特色鲜明、对中国乃至世界文明进程有突出贡献和重要影响的重大发明，论述其发生的背景和演进过程。为此，我们邀请科技史及相关领域的专家编写了《中国三十大发明》一书，并于2017年5月出版。该书出版后获得学界和读者的好评，并受到广泛关注，先后荣获第十三届文津图书奖和科技部2018年全国优秀科普作品奖，入选2017年度"中国好书"和改革开放"40年中国最具影响力的40本科学科普书"等。

为了进一步推动中国发明史的研究，普及中国科技文化知识，我们在《中国三十大发明》一书的基础上，又组织编纂了这套"天工开物——中国大发明"书系，目的是更全面细致地阐述中国重大科技发明的内涵，搞清楚其来龙去脉，使读者能够更好地理解和认识中国古代重要科技发明创造及其历史与现代价值。本套丛书中每一本的篇幅都不大，侧重于知识普及，图文并茂，尽可能让读者在不太长的时间内，从科技史家的叙述中，获取每一项发明的有关信息和知识。

中国有着悠久的历史文化，中华民族曾经有过许多伟大的发明创造，不仅推动了中华文明的进步，而且对世界文明的进程也产生了重大影响。每一个中国人都应当尽可能正确地了解历史，中国的事情中国人自己要弄清楚，在发明创造的问题上，中国人要有自己的话语权。本套丛书力求体现文化自觉的理念，尽可能全面总结中华民族对人类科技文明的重大贡献。在重大发明遴选方面，我们进行了调整和扩充，将三十项发明扩展为四十余项，特别是适当增加了中国现当代的重大发明。本套丛书从文化传统和全球视野两个方面对中国大发明进行了观照。如汉字和中式烹调术，过去较少被视为重大发明，但它们是中华文明的重要象征，在中国文化与技术传统中占有重要位置，足以列为中国重大发明。特别是汉字，作为中国人记录信息和表达思想的工具，至今还充满生机，不仅对中华文化的形成、传播和传承具有不可替代的作用，而且对日本、朝鲜和越南等周边国家和地区产生了巨大影响。中式烹调术对提高人民生活质量和增强身体健康发挥了重要的作用，随着中国综合国力和国际影响力的增强，中式烹调术也传播到世界各地，并扮演着越来越重要的角色。传统的中医药也蕴含着一些现代科技的先驱性成果，如人痘接种术就属于产生了世界影响的免疫学先驱性成果。

我们对中国现当代重大发明同样给予了关注，如以屠呦呦为代表的中国科学家，在继承传统中医临床经验的基础上，运用现代科学手段提取出一种高效低毒的抗疟疾新药青蒿素。青蒿素药物用于临床后，挽救了成千上万患者的生命，为人类健康做出了巨大贡献。水稻是世界的主要粮食作物之一，是全世界约一半人的主食，袁隆平发明的超级水稻栽培技术堪称世界级的原创性重大发明。王选创立的汉字激光照排技术是中国现代印刷技术史上的重大发明，对科学和文化的传播起到了重要的促进作用。文化自觉是一个艰巨的过程，一方面要认识我们的技术文化传统，增强文化的认同感和自信心，另一方面也要更新和转化我们的文化传统与科技，使传统技术与外来的近现代科技对接和融合，同时也使现代科技在中国扎根并得到长足发展。

发明与发现是人类社会文明发展内在的原生性动力。中国古代科技有着辉煌的成就，我们的先人对世界文明的进步做出了重要贡献。百余年来，中国一直处于社会剧烈变化和文化转型时期，重大发明创造不多也在情理之中。

我们应当在珍惜、重视民族文化传统与历史经验的同时，

掌握文化转型与科技发展的主动权，不断提升自主创新能

力，为人类科技和文明的发展做出更大的贡献。从历史的

长时段发展趋势看，中国科学技术已进入新的加速发展期，

中国人的创新意识和创新能力已被激活，今后原创性的发

明创造会越来越多，中国科技的繁荣昌盛是可以期待的。

　　中国历史上究竟有多少重大发明，是一个仁者见仁、

智者见智的问题，难免会存在不同的说法或争议。我们希

望本套书的出版能够引起更多专家和读者的关注并参与探

讨和切磋，进一步完善相关问题的研究，也欢迎学界同仁

和广大读者对我们的工作惠予指正。

华觉明　冯立昇

2021年7月28日

目　录

引子：何谓髹饰

　　"髹饰"这个词，在中华文明史上已经存活了两千多年。作为工艺创造行为，它与人们生活密切相关。"髹"，古字作"鬃""髹"，指手执木柄毛刷蘸漆涂刷器物，囊括了一切器物的表面涂装，逐渐演变为形声字"髹"；"饰"，指装饰。双音词"髹饰"指向有装饰意匠的涂装，《髹饰录》将器具用天然漆髹涂并以绘、刻、填、罩、磨、钩、贴、雕、镶、嵌等各种艺术手段装饰纳入髹饰工艺的范畴。工人并不一定都拿刷子，而是有的拿刀，有的运笔……说到这儿，读者大体已经知道，髹饰工艺广见于古往今来民众生活之中，工艺行为艺术化，"髹饰"便主要指向了制造漆器的工艺活动。

　　那么，什么是漆器呢？漆器是用天然漆髹涂，用绘、刻、填、罩、磨、钩、雕、镶、贴、嵌等各种艺术手段装饰的手工艺品。在世界文明史上，关于石器的打制、陶器的烧造、铜器的冶铸等，哪一个文明古国发明最早，目前尚有争议，而中华先民最早用漆，最早发明了髹饰工艺，却是世界公认的，漆器与中华陶瓷、丝绸一样，在全世界享有极高的声誉。现代，人们把植根于传统髹饰工艺的漆的艺术——漆器、漆画、漆塑等，统称为"漆艺"。本书就说些髹饰工艺史上的故事。

一、漆被发现

早在新石器时期早期，华夏先民就发现了漆树液有高度的黏合力（图1-1），可以用于木制器具、生产工具等的粘连加固，涂刷在木器或是陶器之上，便留下了致密防水、坚固耐磨、美丽而有光泽的保护膜，木器和陶器不再渗漏，便于清洗并且延长了使用寿命。如浙江杭州萧山区距今约8000年的跨湖桥遗址出土的涂漆木弓（图1-2），长121厘米，桑木上髹生漆；浙江余姚距今约7000年的河姆渡遗址出土的漆木碗、缠竹篾漆木桶、漆绘木胎蝶形器、黑漆木筒等。可见，早在新石器时期早期，长江下游的先民们便发现了天然漆并且开始了用天然生漆髹涂器物的工艺活动。

天然漆被发现之始，只是对木器、陶器做些简单涂装。"尧禅天下，虞舜受之，作为食器，斩山木而财（裁）之削锯修之迹，流漆墨其上，输之于宫以为食器。

图 1-1　在深山老林采割漆树液，俞峥供图

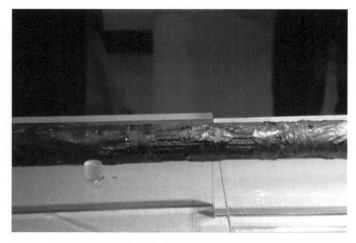

图 1-2　［新石器时期］涂漆木弓，笔者摄于浙江杭州萧山跨湖桥遗址博物馆

诸侯以为益侈，国之不服者十三。舜禅天下而传之于禹，禹作为祭器，墨染其外，而朱画其内……此弥侈矣，而国之不服者三十三。"（《韩非子·十过》）考古实物证明，上古时代的先民发明了用黑色磁铁矿（Fe_3O_4）、红色赤铁矿（Fe_2O_3）碾碎成粉入漆，所以，舜时代食器呈黑色，禹时代祭器呈朱、黑二色。简陋的涂漆器具为什么会引起众怨呢？因为史前先民物质生活极度贫乏，在"茅茨不翦，采椽不斫"（《韩非子·五蠹》）的尧之为王的时代，在"身执耒臿以为民先，股无胈，胫不生毛"（《韩非子·五蠹》）的禹之为王的时代，黏土在在皆是，烧陶工艺简便，而漆液滴滴如金，涂漆工艺复杂。使用涂漆之器，自然会被认为是奢侈了。用生漆对器具做简单涂装，延续到战国时代（**图1-3**），甚至一直延续在少数民族聚居区域。

图 1-3 ［战国］用生漆涂刷的木敦，笔者摄于 2011 年 "湖北枣阳九连墩楚墓出土文物特展"

　　基于天然漆树液的物质属性，华夏先民将漆树液记为 "桼"。其上从木，说明来自漆树；左撇右捺，为漆树割口象形；下从水。《说文》："桼，木汁，可以髹物，象形，桼如水滴而下。"[1]可见，"桼"作为象形字，指漆树割口流淌下来的树液。在汉字不断演进的过程之中，

"桼"被加上了"氵"旁,成为形声字"漆",但是,它作为天然漆树液专有名词的属性并没有改变,中国人昵称其为"国漆""大漆"。工业社会,化工涂料对天然漆造成了冲击,然而,其涂层与天然漆涂层相比,美感判若云泥,懂漆器的人都能够严格区分化工涂料与天然漆。

从漆树割取的树液叫"生漆",含水量高,有杂质。其分子结构松散,黏度大,干燥快,不能厚涂,涂层粗糙,流平性、光泽度不佳。漆工形容生漆"只能刮刮,不能刷刷"。于是,先民发明了用晒制、煎制等方法将生漆炼制成为精制漆(图1-4),以减缓其燥性并使涂层流平光滑;继而发明了

图1-4 精制漆,笔者摄

用炼制以后的干性植物油如熟桐油等入漆，以提高涂层光亮度。先民的炼漆活动起自何时？已知典籍记录"明膏""膏漆""合光""晒光漆"迟在明代，而从生漆髹涂不需要荫室熟漆髹涂需要荫室、《史记·滑稽列传》优旃言"顾难为荫室"[2]和秦汉木器有用精制漆髹涂分析，秦汉有了炼漆活动；先民对干性植物油的炼制应在对生漆的炼制之后，已知典籍记录见齐梁间陶弘景《名医别录》有紫苏"筭其子作油，日煎之，即今油帛及和漆所用者"一句、北齐《颜氏家训》"煎胡桃油，炼锡为银"一句[3]。战国木器有用掺油之漆髹涂，表面泛出油的光泽（图1-5）。

图 1-5 ［战国］兑油之漆髹涂的木簋
泛出油的光泽，笔者摄于 2011 年 "湖
北枣阳九连墩楚墓出土文物特展"

注　释:

[1][汉]许慎:《说文解字》,中华书局,1963 年,第
128 页下。

[2]《史记·滑稽列传》:"(秦)二世立,又欲漆其城。
优旃曰:'善。……漆城虽于百姓愁费,然佳哉!漆城荡荡,

寇来不能上。即欲就之，易为漆耳，顾难为荫室。'于是二世笑
之，以其故止。"中华书局，1982 年，第 10 册，第 3203 页。
说的是胡亥想用漆涂装整个城墙，优旃先虚意奉承，说漆过的城
墙固然使敌人无法攀登，但是，怎么去造装得下城墙的荫室呢？
秦二世这才不提。故事于无意中记录了这样一个史实：秦二世时
有了精制漆。因为，生漆涂装是不需要荫室的，用精制漆涂装器
物以后，才需要置入湿热的荫室以促使涂层干燥。

　　[3] 前句见于 [清] 吴其濬《植物名实图考长编》，商务印书馆，
1959 年点校本，第 676 页；后句见于 [北齐] 颜之推《颜氏家训》
卷五《省事第十二》，《续修四库全书》第 1121 册，上海古籍
出版社，2002 年，第 643 页。

二、庄子漆园

天然漆的黏结能力、保护作用、美化作用等一经先民发现，漆便成为华夏先民不可或缺的生活资料。在中国长达几千年自耕自足的农业社会里，人们衣、食、住、行、婚、丧、嫁、娶，从迎亲的花轿到入葬的棺木，从礼乐之器到干戈之具，从器皿到家具，哪一样离得了用漆髹饰？随着对漆树液需求量的增加，野生漆树被进化成为人工种植。春秋时期，《尚书·禹贡》有兖州"厥贡漆丝"，豫州"厥贡漆、枲、绨、纻"的记载[1]；《诗经·唐风》曰："山有漆，隰有栗。子有酒食，何不日鼓瑟？"形象地记录了在小农经济的社会形态下，人只要种上足够的漆树与禾谷，就可以无忧无虑地生活。春秋时典籍《考工记》记录了木工、金工等百工，却没有将漆工作为专门工种列出。这并非周朝先民不重视髹饰工艺，恰恰因为髹饰工艺用途太广，木、竹、皮等制成的器具都要用漆髹饰，髹饰是百工必须掌握的基础功夫，所以不作为工种单列。《考工记》书首，用三分之一的篇幅详细记录了造"舆"活动，突出地表现出了东周礼治观念，"髹饰"一词，正是初见于《周礼》对车制的记录[2]。从甘肃省马家塬战国墓出土的"舆"，可见东周诸侯"舆"豪华之一斑。

由于天然漆在先民经济生活中的重要作用，历朝历代都派官员管理漆园，战国庄周就"尝为蒙漆园吏"[3]。相传楚威王曾以厚币迎庄子为相，庄子对使者说："子亟去，无污我。我宁游戏污渎之中自快，无为有国者所羁。"（《史记·老子韩非列传》）他宁可在漆园里"游心于物之初"（《庄子·外篇·田子方》），作自由的哲学放想。庄子啸傲王侯的故事为后世称道，庄子成为道家哲学的开山人物，"漆园"成为文人隐逸情怀的象征。西汉，漆树的经济地位进一步上升，"山东多鱼、盐、漆、丝、声色……陈夏千亩漆……此其人皆与千户侯等……木器髤者千枚……漆千斗……此亦比千乘之家"[4]，种上千亩漆树、收获漆液千斗的人，富比王侯，相当于拥有兵车千乘。东晋郭璞写《游仙诗》，赞美"漆园有傲吏"；唐朝王维隐居蓝田辋川，组诗名篇《辋川集》中有《漆园》诗："古人非傲吏，自阙经世务。偶寄一微官，婆娑数枝树。"于是，历朝诗人咏漆园，历代画家画漆园，宋朝朱熹作《云谷二十六咏》，其二十一《漆园》道"旧闻南华仙，作吏漆园里。应悟见割忧，嗒然空隐几"，都是在追念庄子，向往隐逸。明清，身处俗文化高潮中的文人们仍然没有忘记对漆园的歌咏，大收藏家项元汴自称"漆园傲吏"，画家仇英寄居其府中，也对漆园十分向往。他画销售"严生漆"[5]的店铺（图2-1），画《辋川图》（图2-2），用护栏保护起来的漆园十分醒目。仇英关注漆园

图 2-1 ［明］仇英画中出售"严生漆"的店铺，高左贤供图

与漆经济，固然因为他"初为漆工，兼为人彩绘栋宇"
（［清］张潮《虞初新志》卷八）养成的职业习惯，更为
迎合明代以雅入俗的文人与以俗扮雅的市民的喜好。

图 2-2　[明]仇英《辋川图》中所绘漆园，高左贤供图

注　释：

[1]臧克和：《尚书文字校诂》，上海教育出版社，1999 年，第 103、113 页。

[2]"髹饰"见于《周礼·春官·駹车》。引自《〈周礼〉注疏》，《文渊阁四库全书》第 90 册，台湾商务印书馆，1986 年，第 504 页。

[3] [汉] 司马迁：《史记·老子韩非列传》，中华书局，1982 年，第 7 册，第 2143 页。漆园作为地名，以不同的三地见于《古今地名大辞典》。庄子为宋国蒙人，庄子任职的"漆园"当在这三地之一的河南商丘县东北。

[4][汉] 司马迁：《史记·货殖列传》，中华书局，1982 年，第 10 册，第 3253、3272、3274 页。

[5] 严生漆：指剔除杂质并经过滤的好生漆。

三、无物不糅

战国秦汉是中国髹饰工艺第一个高潮时期。战国，地处长江中下游的楚国盛产木、漆，气候湿热，适宜髹漆干燥，髹饰工艺尤其发达。湖北枣阳市九连墩，荆门市包山，荆州市江陵县望山、天星观楚墓与湖南长沙、河南信阳楚墓出土大量髹饰之器。如果说中原这一时期髹饰之器偏重实用，楚国髹饰之器则突出地显现着祭祀氛围和审美功能。楚墓多有出土的"虎座鸟架鼓"（**图3-1**），鼓架以凤为两翼，以虎为底座。虎混沌敦厚，匍匐负重；凤高大轩昂，引吭高歌：可见楚人对凤的尊崇以及凤鸟作为图腾的符号意义。1978年，湖北随县曾侯乙墓出土笙、鼓、琴、瑟、排箫、竹笛、编钟架、编磬架等髹漆乐器与底座共计8种124件，可以布置一座大型的古代音乐厅，是楚人祭祀之风的集中体现。2002年，湖北枣阳市九连墩楚墓出土漆器近千件，一举突破了以往出土荆楚漆器的总和。这

图 3-1　[战国] 髹漆虎座鸟架鼓，江陵楚墓出土，选自陈中行、程丽臻、
李澜著《出土饱水竹木漆器脱水保护技术》

批漆木器中，可见先民从用生漆髹涂（如漆木敦、漆木方鉴）到用掺油之漆髹涂（如漆木簋、漆木四方盒）再到用推光漆髹涂（如漆木卧鹿、漆木龙蛇座豆）的探索痕迹，还可见铜釦、贴金银片装饰（**图3-2**）。2000年，江陵天星观2号楚墓出土漆木器工艺水平再创新高。如该墓出土猪形漆木酒具盒（**图3-3**），盒内扣装耳杯，猪造型

图 3-2　[战国]彩绘铜釦漆木方案，笔者摄于"湖北枣阳九连墩楚墓出土文物特展"

雕刻得元气充沛。外壁红色糙漆层上画暗花龙纹；暗花的
形成，显然是推光漆画花干固以后经过了磨退；暗花上有
漆黑莹亮的亮花：龙纹上画鳞纹，龙纹外画云纹，又显然
用精细过滤的推光漆才能画出；双猪嘴旁四块葡萄大小的
腮帮肉上，竟画有三四个一组的着衣人物像。其研磨的到
位、推光的细致、描绘的精妙，均令笔者惊异。该墓出土

图 3-3　[战国]猪形漆木酒具盒，天星观 2 号楚墓出土，荆州博物馆刘
露供图

的立雕髹漆彩绘蟾蜍立羽人、凤鸟形莲花豆、龙首黑漆凭
几等，无不雕刻得元气淋漓。楚国髹饰之器艺术上充满奇
思异想和浪漫情味，成为中国髹饰工艺史上传达生命律动
的最强音；工艺上不断探索，从生漆髹涂到把握了掺油漆
髹涂、推光漆髹涂技术，发明了针划、金属钿、贴金银片
等新工艺，开启了汉代髹饰工艺盛期。从此，一个以祭祀
礼乐为主要髹涂目的的时代结束，一个以日用为主要髹涂
目的的时代降临，推光漆髹涂成为汉代漆器的主要髹饰技
艺，彩绘、针划、金属钿、贴金银片装饰成为汉代漆器的
主要装饰。汉代，举凡家具、炊器、食器、兵器、乐器、
文具玩具、丧葬用具、交通工具……几乎无物不髹，木、
皮、竹、藤、布等材料为胎骨的髹饰用具，以轻巧、美
观、耐用等优点，全面进入了地主生活。

　　1972年，湖南长沙马王堆1号汉墓出土数重漆棺，除

外棺黑漆面未加装饰，三重漆棺都用油漆画满了动人心魄的图画。外棺长256厘米，黑漆地上用红、白、黄、黑、金、绿、灰等各色油漆画羽人怪兽奔逐于云气之中，云纹时而像悬崖飞瀑，时而像波涛汹涌，笔触缓慢之处油漆凝聚像沥粉堆画，笔触迅捷之处油漆甩到了边框以外。羽人、怪兽有奔走，有追逐，有随云瀑飞泻而下，有攀云涛飞扬而上，有横握竹竿如踏鲸波，有抚膝而坐若有所思，千姿百态，活灵活现。马王堆墓黑漆木棺油漆彩画（**图3-4**）传达出汉代人蓬勃的生命力量，表现出汉代绘画气吞八荒的气势。中层漆棺朱漆地上用青绿、粉褐、赤褐、白色等多色油漆画不同图画：盖板画龙虎穿行，头档画山峰对鹿，足档画双龙穿壁，左壁板画虎、凤、力士攀缘踏步于巨龙庞大的身躯，右壁板画云纹，边沿画几何图案，设色祥和明丽。内棺朱漆地上，用鸟毛粘贴菱形图案，

图 3-4　[西汉]黑漆木棺油漆彩画，马王堆 1 号汉墓出土，选自王世襄
编《中国古代漆器》

周边用棕色铺绒粘贴花枝图案。2009年，盱眙大云山西汉江都王刘非墓出土"镶贴金玉黑漆木棺"（**图3-5**）。棺身、棺盖各以铜釦边，外壁镶铜质衔环铺首30只，贴玉璧、玉璜、玉琥等10枚，内壁用金片、银片满贴为斜格纹和大小柿蒂纹图案，精美豪华，无与伦比。徐州狮子山西汉宗室楚王刘戊墓出土"镶玉朱漆木棺"（**图3-6**），朱漆面镶贴几何形状的玉板2000余片[1]。

值得注意的是，汉初髹漆木器并不称为"漆器"，马王堆汉墓遣册记为"木器髹者"[2]，《汉书·货殖传》记为"木器桼者千枚"。两汉在成都、广汉等地设立官营漆器工场（**图3-7**），《汉书·贡禹传》注引三国魏人如淳曰"《地理志》河内怀、蜀郡成都、广汉皆有工官。工官，主作漆器物者也"[3]，"漆器"之名才出现了。工官造漆器不厌奢华，"今富者银口黄耳，金罍玉钟；中

图3-5　[西汉]镶贴金玉黑漆木棺（复制品），大云山刘非墓出土，笔者摄于南京博物院

图3-6　[西汉]镶玉朱漆木棺（复制品），狮子山刘戊墓出土，选自徐州汉文化风景园林管理处、徐州楚王陵汉兵马俑博物馆编《狮子山楚王陵》

图 3-7　制造漆器的手工工场，选自《中国制漆图谱》

者舒玉纻器，金错蜀杯"，"一杯棬用百人之力，一屏风
就万人之功"[4]。106年和帝驾崩，邓太后下令"蜀、汉
釦器九带佩刀，并不复调。止画工三十九种。又御府、尚
方、织室锦绣、冰纨、绮縠、金银、珠玉、犀象、玳瑁、
雕镂玩弄之物，皆绝不作"[5]，漆器制造的工官制度才告
结束。

　　汉代漆器在湖南、四川、江苏、广东、广西、贵州、
安徽、浙江乃至内蒙古、新疆甚至境外多有出土。20世纪

30年代，朝鲜乐浪（汉代属中国版图）汉墓出土多件长铭文漆器，如"神仙龙虎画像漆盘"背面刻"永平十二年蜀郡西工夹纻行三丸治千二百卢氏作宜子孙牢"汉隶长铭文。"蜀郡"，指产地，在今四川境内；"夹纻"，指用漆糊布制为胎骨；"行三丸"，指胎上刮灰漆三遍；"千二百"，指漆盘价格；"卢氏作"，指卢氏募工制作；"宜子孙牢"，指此盘宜子子孙孙永藏于家。1958年，贵州清镇平坝汉墓出土的漆耳杯外壁上针刻隶书铭文更长，共"元始三年，广汉郡工官造乘舆髹羽画木黄耳棓。容一升十六龠。素工昌、髹工隆、上工孙、铜耳黄涂工惠、画工□、羽工平、清工匡、造工忠造。护工卒史恽、守长音、丞冯、掾林、守令史谭主"70字[6]。"元始三年"，指公元3年；"广汉郡"，指产地，在今四川境内；"工官造"，指官营工场制造；"乘舆"，指皇室专用或皇室用作赏赐的器物。长铭文记录了这只耳杯木胎髹朱漆描画图案，镶有铜质捉手，容量为一升十六龠，接着记录了监司工场的长官、秘书、办事员姓名。一只漆耳杯要八名工匠分工合力，再加五人管理工场，汉代漆屏风用功之巨，也就可以想见了。区别于乐浪漆盘为侯门用物有物主姓氏却未标工匠姓氏，注明价格却没有"乘舆"字样；清镇漆耳杯系皇室定制、赏赐地方的物品。扬州市邗江区汉墓也出土有长铭文漆器（**图3-8**），可见汉代工官漆器流布之广。

图 3-8　[汉] 鎏金铜釦漆盘上针刻 "元康四年广汉……" 长铭文，扬州市邗江区杨寿乡出土，选自扬州博物馆编《汉广陵国漆器》

注　释：

[1]狮子山楚王陵考古发掘队：《徐州狮子山西汉楚王陵发掘简报》，《文物》1998年第8期；徐州汉文化风景园林管理处、徐州楚王陵汉兵马俑博物馆编：《狮子山楚王陵》，南京出版社，2011年。

[2][汉]司马迁：《史记·货殖列传》，中华书局，1982年，第10册，第3274页。

[3][汉]班固：《汉书·贡禹传》，中华书局，1962年，第10册，第3071页。

[4][汉]桓宽：《盐铁论·散不足二十九》，《文渊阁四库全书》第695册，台湾商务印书馆，1986年，第577、582页。

[5][南朝宋]范晔：《后汉书·皇后纪第十上》，中华书局，1982年，第2册，第422页。

[6]贵州省博物馆：《贵州清镇平坝汉墓发掘报告》，《考古学报》1959年第1期。

四、流觞曲水

秦汉"木器髹者"大多表面有髹涂形成的毛光，涂层内多有漆籽，没有经过研磨，更没有经过推光。推光漆髹涂器物干固以后研磨推光，能有效地去除毛光、漆籽，使漆面平滑光亮。漆器研磨推光的技术是什么时候发明的呢？

东晋，漆奁、漆盒、漆几等生活器具从皇家侯门进入了文人生活，推光漆髹涂普及了开来。东晋顾恺之《女史箴图》上画有多件漆器（图4-1）。值得注意的是，王羲之《笔经》记"有人以绿沉漆竹管及镂管见遗"（图4-2）[1]，南朝宋《元嘉起居注》记"十六年（439年），御史中丞刘桢奏：风闻前广川刺史韦朗于广州所作银涂漆屏风二十三床，又绿沉屏风一床"[2]。稍微了解点漆器常识的人都知道，只有以推光漆髹涂器物干固以后再研磨推光，漆面才能如沉入水中般地明澈。王羲之盛赞他人赠送的绿沉漆笔管，可见，东晋是推光漆髹涂器物干固以后研

图4-1　[东晋]顾恺之《女史箴图》画有多件漆器，选自《中国美术全集》

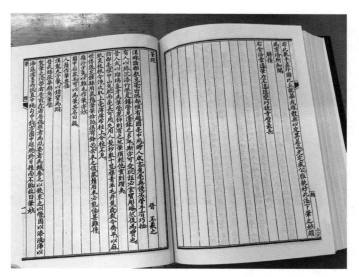

图 4-2　[东晋]王羲之《笔经》首记"绿沉漆"，扫叶山房石印本

磨推光工艺正值时髦的年代。

羽觞是一种饮酒器皿，体如剖开的半个蛋壳，口缘左右双翼形似双耳，所以又名"耳杯"。战国《楚辞》中就有"瑶浆蜜勺，实羽觞些"的句子，汉墓中大量出土漆羽觞（**图4-3**），长沙马王堆仅3号汉墓就出土羽觞百余件。东晋，漆羽觞被文人用作玩赏。永和九年（353年），书法家王羲之在会稽山阴（今浙江绍兴）兰亭与当时名流

图 4-3 ［汉］漆羽觞，选自台北故宫博物院编《海外遗珍》

谢安、孙绰等41人聚会，"流觞曲水，列坐其次"，"游
目骋怀"，饮酒赋诗，在一觞一咏间得诗37首，合为《兰
亭集》，王羲之为之作序，从此，《兰亭集序》流传千
古。"流觞曲水"是怎么回事呢？

中国古代，民间有游春踏青的风俗。每逢三月初三大
地回春，人们便来到水边，焚香沐浴，祈求消灾，被除不
祥。这样的民俗活动，被称为"修禊"。东晋文人接过修
禊之风，每逢三月初三上巳之日，邀三五知己列坐曲水两

岸，将盛有美酒的漆羽觞轻轻放入曲水，任其漂流，停在谁面前，谁就得饮酒赋诗，这就是"流觞曲水"的典故。

"流觞"所用的羽觞，不可以是铜制，而必须用麻布糊漆制成，质既坚，体又轻，且耐水，如小小船儿随波漂荡，双耳巧妙地起着平衡作用，阻力小而浮力大，即使水面微动涟漪，漆羽觞也不至于倾覆。

南方漆器受文人影响的另一史实是：漆器上的图画从两汉对神的关注转向了对人的关注。安徽马鞍山东吴朱然墓出土漆器10余种60余件，其上画有历史故事如《百里奚会故妻图》《伯榆悲亲图》《季札挂剑图》等，现实生活如《贵族生活图》《童子对棍图》《童子戏鱼图》《狩猎图》《梳妆图》等。这些漆画，不再有楚汉漆画的诡谲烂漫，而以写实画风宣扬忠孝节义。它们产自蜀郡，却画有吴国故事，可见系东吴朱然向蜀郡定制。"《季札挂剑图》漆盘"藏于安徽省文物考古研究所，"《贵族生活图》漆盘"藏于马鞍山市博物馆（**图4-4**），它们都被国家文物局列为不得出境文物。南方画风传到北方。司马楚之为东晋王族，因南方政权更替而奔北。其子司马金龙墓出土油漆绘"《孝子列女图》屏风"（**图4-5**），粉本来自南方，画风与东晋顾恺之《列女仁智图》接近，也被国家文物局列为不得出境文物。值得注意的是，"《孝子列女图》屏风"上既有"描漆"，也有"描油"，所用的炼熟干性植物油中加入了催干剂密陀僧，所以能够各色鲜明，正可与典籍记"曹魏已有言密陀僧漆画之事"[3]互相印证。三国两晋南北朝漆器上的图画，成为绢本纸本绘画真迹极少留存情况之下极其珍贵的绘画真迹。

　　山阴高士"曲水流觞"的故事成为千古佳话，历朝历代，文人、非文人群起仿效，引为风雅。隋炀帝造流杯

图 4-4 ［东吴］《贵族生活图》漆盘，安徽马鞍山朱然墓出土，马鞍山市博物馆藏，陈华锋供图

图4-5　[北魏]油漆绘《孝子列女图》屏风，山西大同司马金龙墓出土，山西博物院藏，笔者摄于"琅琊王——从东晋到北魏"展

殿"上作漆渠九曲，从陶光园引水入渠，隋炀帝常于此为曲水之饮"（《太平御览·居处部三》），记的是皇帝吟风弄雅；杜诗"三月三日天气新，长安水边多丽人"（杜甫《丽人行》）说的是皇族修禊；李诗"飞羽觞而醉月"（李白《春夜宴从弟桃花园序》）写的是文人雅集；直到清朝康熙元年（1662年）、康熙三年（1664年），诗坛领袖王士禛（号渔洋山人）两度在扬州发起"红桥修禊"（"红桥"后改名"虹桥"）；两淮巡盐御史卢雅雨接续"红桥修禊"，编成诗集300余卷。如今，安徽滁州醉翁亭内有九曲漆渠，状如蚯蚓伏地，无怪被文人笑话"雅得那样俗"了。

注　释:

[1][晋]王羲之《笔经》记:"有人以绿沉漆竹管及镂管见遗。"见南京图书馆藏《五朝小说大观·魏晋小说·卷三》,据民国15年扫叶山房石印本影印,上海文艺出版社,1991年,第298页。

[2][唐]徐坚:《初学记》卷二十五《屏风第三》,《文渊阁四库全书》第890册,台湾商务印书馆,1986年,第397页。

[3]郑师许:《漆器考》,编入《汉玉研究　漆器考　铜鼓考略　顾绣考》,江苏广陵古籍刻印社,1991年,第18页。

五、鉴真漆像

　　中国的漆器走过它的繁盛期不久，就受到瓷器的挑战。瓷器取材方便，工艺相对简易，价格相对低廉，而漆液的割取十分艰辛，漆器的制作相当繁难，漆器的价格比较昂贵。东吴两晋南北朝，青瓷器迅猛发展，取代了漆器在日用器皿中的主导位置。面对瓷器的挑战，髹饰工艺不得不创新工艺，创新品种，向着艺术化的方向去寻求超越。中华工匠的聪明才智，使髹饰工艺成功突围，唐宋两代髹饰工艺创新最多，成就也最高。唐代髹饰工艺的杰出成就主要在于：夹纻漆像的东传和填嵌工艺的被发明。

　　说到夹纻漆像，先得溯源至东晋。东晋，佛教在中华迅速传播，盛大的佛事活动之中，人们常常要抬着佛像游行，漆糊麻布做成的佛像坚牢轻巧，作为"行像"盛行了起来，中国典籍将漆糊麻布脱空造型的工艺记为"夹纻"[1]。史载东晋戴逵"造招隐寺，手自制五夹纻像"[2]。当时建康（今南京市）花露岗下有瓦官寺，戴逵[3]手制五重夹纻漆佛像与戴颙[4]所制丈六铜像、画家顾恺之为瓦官寺所绘壁画与狮子国赠送的玉佛被合称为"瓦官寺三绝"[5]。南梁，瓦官寺还保存着"戴安道所制五像及戴颙所制丈六金像"[6]。武周时，匠师薛怀义"造功德堂一千尺于明堂北，其中大像高九百尺，鼻如千斛船，中容数十人并坐，夹纻以漆之"（［唐］张𬸚《朝野佥载》），可见初唐造像规模之一斑。制造漆佛像的高潮，延续到唐代会昌年间[7]。

唐代天宝元年（742年），日本僧人荣叡、普照专程来江都（今扬州市）祈请大云寺高僧鉴真东渡传法，鉴真慨然应允。天宝二年（743年），鉴真带"僧祥彦、道兴、德清、荣叡、普照、思托等一十七人，玉作人、画师、雕佛、刻镂、铸写、绣师、修文、镌碑等工手都有八十五人，同驾一只舟"[8]，从江都扬子津初渡日本失败；第二次、第五次东渡，各带漆盘盒30具、螺钿经函50口；天宝十二载（753年）十月，双目失明的鉴真以65岁之龄第六次东渡奈良成功。他带往日本的僧团，其实是一个大型的文化使团，随行的义静、法进、思托、昙静、安如宝、军法力等人均是营建、塑造、绘像的高手，义静东渡前是江都兴云寺和尚，法进东渡前是江都白塔寺和尚，安如宝是胡国人，军法力是昆仑国人。奈良唐招提寺由鉴真弟子安如宝设计，创建于日本天平宝字三年（759年），被联合国教科文组织列入世界物质文化遗产，其中金堂被日本列为国宝。

鉴真积劳成疾以后，弟子们用夹纻工艺为他写真塑造了坐像。"宝字七年癸卯春，弟子僧忍基梦见讲堂栋梁摧折，寤而惊惧，知大和上迁化之相也，仍率诸弟子模大和上之影"[9]。这尊"鉴真夹纻漆坐像"（**图5-1**）高80.1厘米，体量与真人相仿，生动地再现出了鉴真身披袈裟、双目静合、闭唇含笑、结跏趺坐、两手叠放膝上刚毅、果敢、安详、静穆的高僧风度和如入禅定、圣凡难测的思想境界，成为中古美术史和中华漆艺史上弥足珍贵的艺术精品。坐像在1833年火灾中被损，1939年修复，供奉在奈良唐招提寺御影堂内。

　　唐招提寺金堂内，至今完整保存了天平时代鉴真指导弟子制造的三尊漆佛像，均被日本列入国宝："卢舍那佛坐像"连座高近3.5米，竹胎上以布和漆涂垒13层，像内支有木架；"卢舍那佛坐像"左右，"千手观音菩萨立像"高5.36米，并"药师如来立像"各以木心干漆工艺制造[10]（**图5-2**）。天平时代之后，"脱活干漆"与"木心干漆"两种造像工艺在日本流传了开来。日本奈良各寺

图 5-1　[天平时代] 鉴真夹纻漆坐像，选自日文版《唐招提寺》

图 5-2 【天平时代】竹布胎卢舍那佛漆坐像与木心干漆千手观音菩萨立像、药师如来立像. 选自日文版《唐招提寺》

庙、镰仓国宝馆、东京国立博物馆收藏有许多中古脱活干漆佛像与木心干漆佛像。日本人所著《日本寺宇及宝藏》记录，日本干漆造像法学自随鉴真东渡的中国僧人[11]。如果您到过日本，亲见飞鸟时代圣德太子开启的学习中华之风，亲见唐招提寺内天平时代漆佛像，亲见天平时代以后日本漆佛像工艺的巨大跨越，您就会明白：日本人为什么如此尊敬圣德太子，鉴真为什么被日本人世代景仰，被尊奉为"日本文化的大恩人"。

"会昌毁佛"以后，中华本土夹纻漆造像工艺一度沉寂。元代，忽必烈奉八思巴为国师，以喇嘛教为国教，喇嘛教从蒙藏地区进入华北，继而进入江南并且广传全国。喇嘛教以密宗传承为主要特点，于是，藏密建筑、绘画与雕塑在全国广传了开来。尼波罗国人阿尼哥，任职"诸色人匠总管府"总管，并授予银章虎符，统领元代皇室的工艺制作，从此开创了元大都佛像汉藏结合的新风格，人称"西天梵相"。阿尼哥又收汉族人刘元为弟子，刘元制漆佛像时称"抟换……又曰脱活"[12]，"凡两都名刹，塑土、范金、抟换为佛像，出元手者，神思妙合，天下称之"[13]。北京故宫博物院曾藏元大都脱活漆罗汉20尊，今移洛阳白马寺（图5-3）；北京西山八大处大悲寺前殿存元代脱活漆造像18尊，传为刘元作品。

　　元代人记漆佛像制造工艺为"脱活"，《清代匠作则例》则记漆佛像制造工艺为"脱纱""包纱"，分别对应日本"脱活干漆""木心干漆"。"脱纱"工艺是：在木杆、秫秸上缠绕铁丝成佛像骨架，抟黏土塑为泥坯，风干，刷肥皂水作脱离剂。用稀漆水将麻布一片一片贴在泥坯上，随泥坯凹凸揿实。贴布数重，逐层

图 5-3 ［元］脱活漆罗汉，原藏北京故宫博物院，选自《中华艺术通史》

阴干，修削接缝，成完整的布胎佛像空壳。击毁泥模，脱出布胎佛像空壳。"包纱"工艺是：雕镌木胎佛像，磨光后用生漆打底，全面裱糊麻布。两者成型以后，都要从粗到细逐层做灰漆，打磨，待干，糙漆，待干，打磨，油漆彩绘或装金。山西五台山碧山寺戒坛殿两侧存脱纱漆罗汉，为顺治七年（1650年）苏州漆工作品；北京碧云寺五百罗汉，则是"包纱"而成的木胎漆像。

注　释：

[1]释慧琳《音义》："美夹纻者，脱空象漆布为之。"转引自郑师许《漆器考》，编入《汉玉研究　漆器考　铜鼓考略　顾绣考》，江苏广陵古籍刻印社，1991年，第22页。

[2][唐]法琳：《辩正论》卷三，见中华大藏经编辑局编《中华大藏经》第62册，中华书局，1993年，第495页。

[3]戴逵：字安道，东晋雕塑家。

[4]戴颙：戴逵之子。

[5]周勋初：《中国地域文化通览·江苏卷》，中华书局，2013年，第344页。

[6][梁]释慧皎：《高僧传》卷十三"释慧力"条，见中华大藏经编辑局编《中华大藏经》第61册，中华书局，1993年，第451页。

[7]会昌年间，朝廷因和尚私藏武器大规模毁佛，史称"会昌毁佛"。

[8]（日）真人元开：《唐大和上东征传》，中华书局，1979年，第51页。

[9]（日）真人元开：《唐大和上东征传》，中华书局，1979年，第96页。

[10]卢舍那佛坐像台座内面记作者姓名是"造物部広足生""造漆部造弟麻吕""沙弥净福"，见《唐招提寺》《唐招提寺建立缘起》。《唐招提寺缘起略集》《千岁传记》记卢舍那大佛作者有中国僧人义静、思托等。

[11] 郑师许：《漆器考》，编入《汉玉研究　漆器考　铜鼓考略　顾绣考》，江苏广陵古籍刻印社，1991 年，第 27 页。

[12][元] 虞集：《刘正奉塑记》，见《虞集全集》下册《道园学古录》卷七，天津古籍出版社，2007 年，第 741 页。

[13][明] 宋濂等：《元史·列传第九十·刘元传》，中华书局，1976 年，第 15 册，第 4546 页。

六、唐涂东传

　　中华髹饰工艺体系中，有一类被典籍记为"填嵌"，称"其类不可穷也"（［明］黄成著、扬明注《髹饰录》）。"填嵌"共同的要领是先起花再填漆磨显，具体工艺是：用稠漆在漆胎上起出细碎凸起，或将金银、螺钿等材料裁剪为花纹贴于漆胎，全面髹漆覆盖花纹，待漆干固，再通过研磨，使花纹从漆下显露而出，推光。研磨推光工艺的成熟，是填嵌类髹饰工艺问世的必备条件，而从简单状态的研磨，到将装饰材料拌入灰漆磨显，到将装饰材料撒、贴于漆胎再髹漆磨显出漆下的花纹，工艺是渐进的，是由低级到高级逐步成熟的，一步一步，唐代漆工创造出末金镂、金银平脱、螺钿平脱、犀皮等一系列填嵌工艺。

　　唐代人将鹿角煅烧成块，粉碎成灰，称"鹿角霜"。将鹿角霜拌入灰漆髹琴，等待干固，磨显，推光。鹿角分子结构中有大量微隙可供漆液钻入，形成漆与灰的高强度黏合，同时使琴透音好，鹿角霜磨显出漆面以后，呈黄褐色晕斑或是闪烁的色点，十分好看。北京故宫博物院藏有历代古琴46张，其中唐琴4张："九霄环佩琴"以桐木斫斱，造型厚重，琴面深紫漆与朱红漆流变，美丽的断纹酷似蛇腹肌理，琴面用蚌壳嵌为琴徽，传为四川名工雷威所造；"大圣遗音琴"（图6-1）也用桐木斫斱，用鹿角霜髹灰漆，造型简洁，黑漆面红褐漆流变，琴面蛇腹断间牛毛断纹美轮美奂，琴徽用金片镶嵌，龙池内有"至德丙申"（756年）年号，龙池旁刻四言隶书诗一首："巨壑迎秋，寒江印月。万籁悠悠，孤桐飒裂。"浙江省博物馆藏古琴30余张，其中唐琴5张，"落霞式彩凤鸣岐琴"（图6-2）龙池腹内有"大唐开元二年雷威制"题刻。唐琴髹饰的成就，端赖唐代漆工对"鹿角霜"的发现和对磨

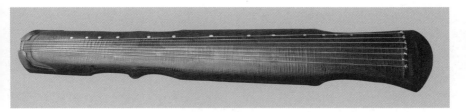

图 6-1　[唐]大圣遗音琴，北京故宫博物院藏，选自李中岳等编《中国历代艺术》

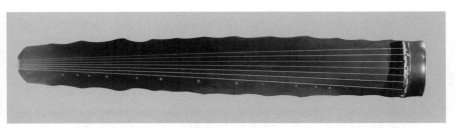

图 6-2　[唐]落霞式彩凤鸣岐琴，笔者摄于浙江省博物馆

显推光工艺的把握。

　　初始阶段的洒金工艺发端于中国唐代。日本奈良东大寺正仓院藏有中国唐代"金银钿装大刀"（**图6-3**），刀鞘上的纹样就是用播撒金锉粉再罩透明漆研磨推光的洒金工艺制成的，756年《东大寺献物帐》记为"末金镂"。奈良时代，日本漆工学习中国"末金镂"用金银锉粉制为"平尘莳绘"，例见空海大师从唐朝归国所用的"海赋莳绘袈裟箱"，被东京国立博物馆作为国宝收藏。此后，日

图6-3　[唐]以末金镂工艺制作的金银钿装大刀，选自西川明彦《日本的美术11·正仓院宝物的装饰技法》

图 6-4　[江户时代] 枫莳绘文库，国宝，作者：原羊游斋，笔者摄于东京国立博物馆

本漆工不断创新，形成以播撒各种金银粉、糅漆干固磨显推光为基本特征的莳绘工艺体系（**图6-4**）。日本学界承认，莳绘工艺的嚆矢正是唐代东传的末金镂。

"犀皮"指用手或工具蘸稠漆在漆胎上打起细碎凸起，换填色漆等待干固，磨显出意象花纹，推光。与犀皮同样磨显出意象花纹的填嵌工艺有彰髹、绮纹填漆等，不同在于：彰髹在漆胎上用引起料起出凹纹，绮纹填漆在漆胎上用刷子起出绮纹，其后续填漆、待干固、再磨显推光流程相同。

　　当下有一种风气：喜欢将中华手艺中每一发明提前，似乎历史越说得悠久，底气越硬。于是，有人将填嵌工艺提前到了秦汉。笔者以为，人类的发明创造是渐进的，手工技艺代有发明，代有创造，才能光景常新，生生不灭。对手艺发明溯源，必须有存世实物加文献记载佐证，兼之以综合考察当时手艺乃至文化的整体背景。各类填嵌漆器如鹿角灰漆琴、末金镂漆器、金银平脱漆器、嵌螺钿漆器扎堆出现并且流行在唐代，正因为它们有共同的工艺要领——漆胎上先起花再用漆埋花而后磨显，可见填嵌类髹饰工艺成熟于唐代。记录犀皮的文献，不早于宋代曾三聘《因话录》、宋代类书《太平广记》，犀皮漆器的传世实物则宋代仅见1件，其余集中在明清两代（**图6-5**、**图6-6**）。

　　犀皮、彰髹、绮纹填漆等填嵌工艺唐代就已经东传

图 6-5 [南宋]犀皮漆盏托，选自根津美术馆编《宋元的美》

图 6-6 [明]犀皮圆漆盒，选自英文版《中国古代漆器》

日本，日本漆工称起花填漆再磨显为自然纹理的填嵌工艺
为"唐涂"，从名称即可见此类工艺来自唐朝。如今，
"唐涂"在日本有多种变格，日本漆工即纹赋名，称"若
狭涂"（**图6-7**）、"矶草涂"、"堆朱涂"、"绫纹
涂"、"砂子涂"、"红叶涂"、"松皮涂"、"青竹
涂"等，其源头正在唐代犀皮和彰髹。

图6-7 ［当代］若狭涂漆盘，笔者摄于日本木曾

七、明皇遇叛

在唐代人发明的填嵌工艺中，金银平脱最与皇室命运相关。平，指金银片花纹与漆面相平；"脱"，这里同"托"，指将花纹托出漆面。工艺是：将金银片镂刻的花纹粘贴在漆胎上，全面覆盖推光漆掩埋金银片，待漆干固，磨显出埋伏在漆下的金银片花纹，使金银片与漆面相平，推光。因为金银片昂贵，金银片下的漆干固又极为缓慢，因此，制作金银平脱漆器是一件靡费财力和工时的事情。

话说唐明皇李隆基在位之时，国家富足到如杜诗形容的"忆昔开元全盛日，小邑犹藏万家室。稻米流脂粟米白，公私仓廪俱丰实"（杜甫《忆昔二首》）。这位皇帝终日与爱妃杨玉环沉迷歌舞，肆意挥霍。其时，胡人安禄山擅跳"胡旋舞"，甚得明皇与爱妃宠爱。史书记录，明皇下令在亲仁坊为安禄山营造府第，不限财力，穷极壮丽，以银平脱檀木大床两张和金银平脱屏风充牣其宅，他还与杨贵妃赐给安禄山许多金银平脱漆用具，如筷子、盘子、碟子、酒杯、花瓶、盒、碗等。明皇说，这胡儿，眼睛眶子大，别让他笑话我！安禄山也以金银平脱胡床[1]等礼物回赠。金银平脱漆用具耗费了盛唐大量财力，成为安史之乱的诱因之一。安史之乱尚未结束，肃宗便下令"禁珠玉、宝钿、平脱、金泥、刺绣"（《新唐书·肃宗本纪》）。金银平脱漆器随盛唐国力强盛而风靡一时，也随晚唐衰败落下了帷幕。

　　唐代金银平脱漆器以日本奈良东大寺正仓院典藏最多，有"金银平脱漆琴"、"篮胎银平脱漆胡瓶"、"银平脱八角菱花形漆镜盒"（**图7-1**）、"金银平脱花鸟纹八角铜镜"、"金银平脱漆皮箱"、"银平脱漆盒"等。美国纳尔逊艺术博物馆藏有唐代"金银平脱漆盒"，大英

图 7-1 ［唐］银平脱八角菱花形漆镜盒，日本奈良东大
寺正仓院藏，选自陈振裕等编《中国美术全集·漆器家具》

博物馆藏有唐代"银平脱银胎漆碗"。笔者在东京国立博物馆库房得见日本江户时代漆工仿唐代"皮胎银平脱漆经函盒"（**图7-2**）。

2019年10—11月，奈良国立博物馆举行"第71回正仓院展"，其中，唐代"金银平脱漆琴"（**图7-3**）系首次展出。琴长114.5厘米，首宽16厘米，尾宽13厘米。琴首

图7-2　[江户时代] 银平脱漆经函盒，根据初唐原件复制，笔者摄于东京国立博物馆库房

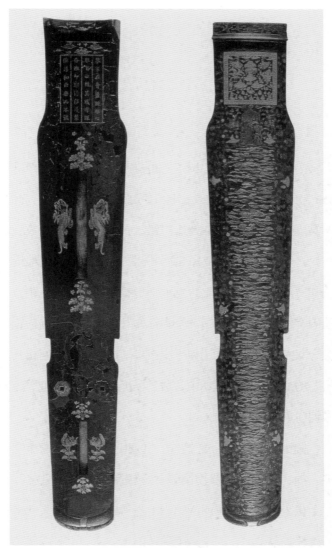

图 7-3　[唐] 金银平脱漆琴，日本奈良东大寺正仓院藏，选自王朝闻、邓福星总主编《中国美术史》

方区内，用金片平脱出树下三位高士在弹琴，周围草叶葳
蕤，百鸟和鸣；方区外，用金片平脱出树下两位胡人并弹
琴高士六人，金平脱制为十三徽，银平脱制为花朵纹、水
波纹。琴首背面方区内，银平脱楷书4行32字，龙池内有
墨书"清琴作兮□□"，龙池周边银平脱为双龙花朵；凤
池内有"乙亥[2]元年""季春造作"字样，凤池周边银平
脱为双龙花朵。此"金银平脱漆琴"成为"第71回正仓院
展"的最大亮点，展期中，玻璃橱柜四周围满从世界各地
专程前来观览的宾客。

国内金银平脱工艺遗存，主要见于金银平脱漆背铜
镜。如：陕西历史博物馆藏"金银平脱天马鸾凤镜"和
"金花漆背铜镜"，河南郑州出土"金银平脱羽人飞凤花
鸟纹葵式铜镜"，河南洛阳关林出土"金银平脱鸾凤花鸟
纹铜镜"，陕西西安唐墓出土"银平脱宝相花铜镜"等。

西安扶风法门寺地宫出土晚唐"秘色瓷胎银平脱团花纹漆碗"。铜镜、瓷碗尚难说是漆器，吉林省渤海国王室墓地出土的银平脱残漆器数件便弥足珍贵。

学界有人将金银平脱工艺的诞生上推到汉。西汉晚期至东汉早期的漆器上，常可见用金银薄片制为鸟兽纹贴于漆面再加彩画。笔者曾在扬州博物馆库房上手摩挲若干件汉代贴金银片漆器（图7-4），漆面有鬃涂留下的原光却没有经过磨显，金银片花纹与漆面基本相平，可知是在器皿鬃漆流平未干之时，趁湿将金银片贴上去的。因为没有经过磨显，不能称其"金银平脱"。汉代典籍也从没有出现"金银平脱"字样，《汉书·贡禹传》记的是"杯案尽文画金银饰"。

在汉代金属釦工艺的基础上，魏晋人进而将漆器上箍镶的银质饰带或银质饰片镂空成花纹，这样的工艺被

图7-4　[汉]银釦贴金银片彩绘套装漆奁，扬州胡场汉墓出土，选自《中华文化画报》

记录为"银参镂带"。"银参镂带"见载于《魏武上杂物疏》[3]。它是汉代银釦工艺与贴金银片工艺的有序发展。考古报告记四川成都五代王建墓出土"银平脱册匣""银平脱宝盝"，1984年笔者在王建墓博物馆目测两件复制品，镂花银片高出漆面不是平脱，而是"银参镂带"，目前该馆已易展品，复制品为银平脱。又笔者在台北故宫博物院举办的"黄金旺族——内蒙古博物院大辽文物展"上，得见内蒙古吐尔基山辽墓出土的"雁形

漆盒"（**图7-5**），展览画册定其工艺为"银平脱"。笔
者亲见此漆盒以镂花银片包裹盒盖并以银箍釦边，银片高
出漆面，没有经过磨显，绝对不是"银平脱"漆器，而
是"银参镂带"漆器。同墓出土的辽代"嵌宝鎏金包银
漆盒"，也用银参镂带工艺制作。以典证物，元大都大
明殿陈设"木质银裹漆瓮"，"高一丈七尺"[4]，不仅
是见载古代最大的漆瓮，也是见载古代最大的银参镂带

图 7-5　［辽］银参镂带雁形漆盒，内蒙古吐尔基山墓出土，选自《黄金
旺族——内蒙古博物院大辽文物展》

漆器。

现代中国，金银平脱演变为锡片平脱，福州称其"台花"，并且细分为"台白花""台彩""台填"三种，如福州漆工制"台彩百花大漆瓶"（**图7-6**），正是在漆胎上埋伏锡片、刻镂为银线，再填彩漆待干固，将锡片线条磨显出漆面的。成都漆工在平脱出的镂花锡片上毛雕线条后罩透明漆，称"嵌锡丝光""银片刻花罩漆"。

本节从唐代金银平脱漆器说到它的前身——汉代贴金银片漆器、魏晋银参镂带漆器以及它的后世——当代锡片平脱漆器，正是为使读者有一双区别各类漆器的慧眼。汉代贴金银片漆器并非磨显出漆面，唐代金银平脱漆器的关键程序是磨显；魏晋银参镂带漆器上，镂花银片银箍高出漆面，与磨显无关，唐代金银平脱漆器通过磨显使金银片与漆面相平；唐代金银平脱漆器埋伏的是金银片，现代锡

图 7-6 ［现代］福州台彩百花大漆瓶，选自"中国工艺美术"编辑委员会编辑《中国工艺美术》

片平脱漆器埋伏的是廉价的锡片。代有发明，代有更新，这才是历史的真实。

注　释：

[1]胡床：一种四腿可以折叠的轻便坐具。初为游牧民族使用。

[2]乙亥：此年号或为开元二十三年（735年），或为贞元十一年（795年），尚无断论。

[3]《魏武上杂物疏》，见［宋］程大昌《演繁露》卷九"漆雕几"，《文渊阁四库全书》第852册，台湾商务印书馆，1986年，第148页。

[4]［元］陶宗仪：《辍耕录》卷二十一，《文渊阁四库全书》第1040册，台湾商务印书馆，1986年，第637页。

八、高宗毁器

在唐人发明的"填嵌"工艺中，嵌螺钿被宋代人发展为嵌厚螺钿、嵌薄螺钿两种，《髹饰录》称"一名蜔嵌，一名陷蚌，一名坎螺，即螺填也"。嵌厚螺钿的基本工艺是：将螺蚌壳片镂出的图案贴于漆胎，做灰漆，刻纹，髹漆待干固后，将花纹磨显出漆面。浙江湖州飞英塔外塔空穴内发现吴越国"嵌螺钿黑漆经匣"（图8-1），底板外壁有朱漆书"……广顺元年（951年）十月……"47字，虽已散架，却是中国现存最早的嵌螺钿漆器；苏州瑞光塔塔心砖龛内发现北宋"嵌螺钿黑漆经匣"（图8-2），黑漆外壁嵌夜光螺花叶纹，作为中国最早完整的嵌螺钿漆器，藏于苏州博物馆。

虽然嵌螺钿工艺为唐代人发明，嵌螺钿工艺的高峰却是在宋元。明代黄成《髹饰录》记"壳片古者厚而今者渐薄"，正是指嵌螺钿工艺的宋元之变。其变在于：

图 8-1 ［五代］嵌螺钿黑漆经匣散板，湖州博物馆供图

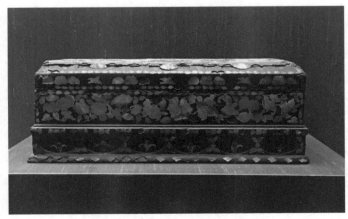

图 8-2 ［北宋］嵌螺钿黑漆经匣，笔者摄于苏州博物馆

从厚约1毫米的螺钿片变为0.1毫米以下、一般0.03～0.04毫米的螺钿片，从贴于灰漆地变为贴于糙漆地，从螺钿片上毛雕花筋叶脉皱纹变为精选海螺片一朵一朵锯为花纹；其后续——全面髹漆待干固磨显推光工艺程序相同。因为螺钿片磨薄以后变软，今人称厚者"嵌硬螺钿"（日、韩称"厚贝"），称薄者"嵌薄螺钿"（日、韩称"薄贝"）。后者工艺难度翻倍。

宋徽宗赵佶酷爱书画器玩，嵌薄螺钿工艺与其他艺术同时得到了充分发展。"靖康之难"中，徽、钦二帝被金兵掳掠，次年，康王赵构在应天府（今南京市）登基，是为"高宗"，重建赵宋，是为"南宋"。建炎二年（1128年）二月，高宗移跸扬州，建天坛和行宫。次年，金兵渡淮，高宗继续往南逃窜。家国耻辱使年仅21岁流亡途中的新君将朝廷变故、亡国之恨归罪于徽宗沉溺器玩书画。史志记："建炎戊申（1128年）高宗幸镇江，先是本府寄留温、杭二州上供物，有以螺钿为之者。帝恶其奇巧，令知府钱伯言毁之。"[1]高宗大肆损毁费工耗财极巨的薄螺钿漆器，《清波杂志》《建炎以来朝野杂记》《建炎以来系年要录》及《宋史》《宋会要》等各有记录，《宋会要辑稿》具体记录了被毁嵌薄螺钿髹饰的器物，有椅子、桌子、脚踏等36件。宋代嵌薄螺钿漆器国内几乎未有收藏，也许不无高宗毁器的原因。

　　南宋小朝廷偏安临安（今杭州市），高、孝、光、宁四朝史称"中兴之世"，温州、杭州继续大量制造嵌薄螺钿漆器与漆家具，使南宋嵌薄螺钿工艺登峰造极。孝宗时，画院待诏苏汉臣《秋庭婴戏图》中画有"嵌薄螺钿鼓凳"（**图8-3**），可与实物相互佐证。嵌薄螺钿漆器甚至普及到了江南街肆，南宋无名氏《西湖繁胜录》记临安街

图8-3　[南宋]苏汉臣《秋庭婴戏图》所绘嵌薄螺钿鼓凳，《湖上》杂志供图，画藏台北故宫博物院

市出售"螺钿交椅""螺钿投鼓""螺钿鼓架"及"螺钿玩物"。

　　晋唐至宋，中国与日本官方、民间交往频繁，宋元螺钿漆器大量东传，如今几乎尽数藏于日本。日本永青文库藏中国南宋"嵌薄螺钿楼阁人物纹漆奁"（图8-4），莲

图 8-4 ［南宋］莲瓣形嵌薄螺钿楼阁人物纹漆奁，日本永青文库藏，选自根津美术馆编《宋元的美》

瓣形多层撞合，造型毫忽不苟，多层缝口严密，奁盖顶嵌薄螺钿为楼阁人物，奁身八面菱花形开光内嵌薄螺钿为庭院人物，连衣花也以薄螺钿逐个嵌出，开光外通体嵌薄螺钿莲纹卷草，随器宛转，繁而不乱。日本藏宋元之际"嵌薄螺钿人物图漆挂牌"（**图8-5**），在56.5厘米的有限高度之中，以薄螺钿嵌出真武大帝等11个人物，衣花细入微芒，云纹如飞如动，真令笔者想跪倒在中国古代工匠脚下！

比较宋代，元代特别是元代后期嵌薄螺钿漆器工细不减，"富家不限年月做造"[2]，文雅之气已不逮宋。日本西冈康宏《中国的螺钿》收入日本公私收藏的中国嵌薄螺钿漆器97件，其中，元中后期作品就达32件。如：东京国立博物馆藏元代"嵌薄螺钿龙涛纹黑漆菱花形盘"（**图8-6**），云纹是一丝丝、浪花是一朵朵、龙鳞是一片片地嵌出，五色斑斓，霞光熠熠；日本私藏元代"嵌螺钿楼阁

图 8-5　[宋元之际] 嵌薄螺钿人物图漆挂牌，选自东京松涛美术馆编
《中国的漆工艺》

图 8-6　［元］嵌薄螺钿龙涛纹黑漆菱花形盘，笔者摄于东京国立博物馆

人物纹黑漆八角盒"，三层加高盖、高足仅36厘米，嵌螺钿莲花卷草随盖隆起，繁茂宛转，人物衣衫嵌不同的螺钿衣花，工艺之精，令人咋舌[3]。元代一些嵌螺钿漆器上嵌薄螺钿名款"吉水统明工夫""庐陵胡肇钢铁笔""永阳刘良弼铁笔"等，可见产自江西吉水、庐陵、永阳，地属

吉安府。中国宋元螺钿漆器所达到的工艺造诣，后世鲜有
其俦，韩国螺钿漆器也难以望其项背。

注　释:

[1][南宋]卢宪:《嘉定镇江志》卷二十一《杂录》，宛委
别藏本，《续修四库全书》第 698 册，上海古籍出版社，2002 年，
第 543 页。

[2][明]曹昭:《新增格古要论》卷八《古漆器论·螺钿》，
《丛书集成初编》第 50 册，商务印书馆，1939 年，第 160 页。

[3][明]高濂《遵生八笺·燕闲清赏笺上》"论剔红、倭漆、
雕刻、镶嵌器皿"一节记宋代螺钿:"又如蚰壳镌刻观音……即
观音身披法服有六种锦片，无论螺壳深注，即平地物件亦难措
手……后有效者，罕能得其妙处。"可见随器凹凸嵌以螺钿的绝
技，宋代就已经驾轻就熟。引自长北《中国古代艺术论著集注与
研究》，天津人民出版社，2008 年，第 322 页。

九、飞金鬃饰

区别于日本漆工擅用金丸粉、金片粉，中国漆工擅用金属箔粉，中华金属箔粉髹饰工艺蔚成系列，表现出中华工匠的才思巧变与中华髹饰的工艺特色。

箔粉髹饰工艺的诞生，是以其物质材料——飞金问世为支撑的。传说金箔锻制工艺为东晋葛洪始创；唐代佛像有以贴金装銮，金碧山水画于唐代开派；宋代，金碧山水画名家辈出，箔粉髹饰工艺如贴金、描金、隐起描金、戗金等扎堆流行，从此蔚成变化丰富的飞金髹饰工艺系列。宋元，飞金髹饰工艺见载于典籍，如：贴金工艺为北宋官修《营造法式》记录[1]，戗金工艺为元末《辍耕录》记录[2]，关于金箔锻制工艺的文字记载，以元代陶宗仪《辍耕录》为早，明代宋应星《天工开物·五金第十四》、清代迮朗《绘事琐言》详细记录了飞金锻制技术。当代，南京金箔锻制技术被评为国家级非物质文化遗产。

　　笔者参加南京金箔锻制技术保护发展研讨会，有学者将金箔锻制技术的历史上推到三代。笔者以为，有必要澄清一些人对金片、金箔的模糊认识。人类对金属薄片的加工，有一个由厚变薄的渐进历程。古代，"薄"通"箔"。《后汉书》有关于"金薄"的记载[3]，唐代李倕墓出土捻绞金线的"金薄"厚仅8.956微米，考古界根据典籍所记称"金薄"，其实都是金片。"飞金"才是真正意义的金箔，其厚度仅有0.12微米且见风就飞。自从飞金问世，典籍就将金片、金箔区分开来记录。如《唐六典》分别记"贴金"（用飞金）、"嵌金"（用金片），可见，唐人有了区分飞金与金片的自觉意识。宋徽宗宣和元年（1119年），"后苑尝计增葺殿宇，计用金箔五十六万七千。帝曰：'用金为箔，以饰土木，一坏不

可复收，甚亡谓也。'"[4]"不可复收"，正可见装饰材
料是飞金，不是金片。正因为宋代人大量使用新兴材料
飞金，这才迎来飞金髹饰工艺的丰富多彩，蔚成系列。当
下，人们更应该有区分飞金与金片的自觉意识：凡是不用
衬纸就可以拿起来，并且可以剪出花纹、嵌入器物可以回
收的，是金片，古称"金薄"；凡是见风就飞、不可剪不
可刻、饰于器物不可复收的，是飞金，今称"金箔"。有
学者将戗金漆器的源头上溯到战国铜器上的金银错。金银
错嵌入金片金线，戗金戗入飞金。戗入飞金的髹饰工艺，
只能诞生在飞金锻制工艺成熟之后。

　　如果说唐代箔粉髹饰工艺尚无实物证明，北宋，描
金、隐起描金、戗金漆器多有遗存，其中多件是国宝级文
物。

　　1966—1967年，浙江省瑞安市慧光塔窖心内发现了一

批北宋文物，其中"舍利漆函"与"经函（含内经函、外经函）"堪称国宝。舍利漆函高盖，盝顶，盖长覆身，盝顶与四壁用漆灰堆起缠枝莲纹后髹金，底座用漆灰堆起缠枝莲纹开光，开光内用漆灰堆起异兽后髹金（**图9-1**）。盖四壁用漆灰堆起阳纹呈菱花形开光，沿开光线纹镶嵌珍珠，开光内描金为神仙礼佛行列（**图9-2**），人物文雅吐纳，衣纹纤细如丝，云纹渲染浓淡，有过同时代名画《八十七神仙卷》。区别于舍利漆函的高长造型，内、外经函皆呈横长盝顶造型。内经函檀木质十分雅丽，除底面外，各面通体描金：两长壁以金线围起三围六瓣梅花形开光，开光内赭色地上金钩花鸟轮廓再细笔渲染浓淡成金色缠枝莲纹和鸟纹，开光外虚处描金空出赭色地成缠枝莲纹，开光内外，金花、赭花交替，精美莫可言说，耗工不可数计，后世描金无可匹比（**图9-3**）。外经函盖长

图9-1　[北宋]隐起描金舍利漆函，浙江瑞安慧光塔出土，选自浙江省博物馆编《㮶木奇功》

图9-2 [北宋]舍利漆函菱花形开光内描金神仙礼佛行列，选自王世襄、朱家溍主编《中国美术全集·工艺美术编·漆器》

图9-3 ［北宋］檀木描金内经函，浙江瑞安慧光塔出土，笔者摄于浙江省博物馆

覆身，以隐起描金、识文描金[5]制为主纹，以描金制为地纹（**图9-4**），函外底有题字，仅"大宋庆历二年（1042年）"几字可以辨识。这三件古漆器绝品，工致雅丽沉静，作为镇库之宝，藏于浙江省博物馆。

值得一提的是，1978年苏州市瑞光塔窖穴内发现"真珠舍利宝幢"。幢高122.6厘米，檀香木雕八角须弥座上置木雕须弥山，一围置镂空木栏杆。须弥座用描金工艺制为缠枝莲等花纹，以油漆混合灰堆塑折枝花、飞天、供养

图 9-4　[北宋]隐起描金外经函，浙江瑞安慧光塔出土，笔者摄于浙江省博物馆

人以后泥金。木雕髹漆须弥山上，描金线条缠卷，珍珠穿
缀的行龙游走其间。须弥山上置木质髹漆的佛龛，顶部缀
一围珍珠宝石，八条金龙腾空飞起，八根金链与塔顶连
缀，塔顶置一颗硕大的水晶珠，盛装宝幢的木函上，彩绘
四大天王像并有"大中祥符六年（1013年）……"墨书，
比慧光塔发现的北宋"舍利漆函"与内、外经函早29年。
其造型颀长挺拔又收放变化，选材名贵，工艺精美，作为
罕见的综合工艺品，被苏州博物馆列入唯一禁止出境展出

的文物，为《国家人文历史》列入"九大镇国之宝"。其底座则是已知木雕隐起描金工艺的最早实物（**图9-5**），因为长锁库房积尘，金色灰暗。展厅内陈列的"真珠舍利宝幢"复制品，底座已易为木雕（**图9-6**），观者请自鉴别。

图9-5　［北宋］"真珠舍利宝幢"隐起描金底座，笔者摄于苏州博物馆库房

图 9-6 [北宋]"真珠舍利宝幢"复制品,冷坚供图

　　作为箔粉髹饰工艺的一种，"戗金"指用刀在漆面勾画图纹、划槽内打金胶表干而有黏着力时将金箔粉戗入划槽，成金线图画。江苏常州市武进村前乡南宋墓出土漆奁、漆盒、漆镜箱、漆执镜盒等一批戗金漆器[6]，常州博物馆因此成为国内收藏宋代戗金漆器的重镇。扼要介绍如下：

　　常州村前乡南宋5号墓出土"银釦十二棱莲瓣形戗金庭院仕女图朱漆奁"系国宝级文物。奁高仅21.3厘米，直径19.2厘米，卷木制为三撞莲瓣式，外壁髹朱漆。每撞口缘银釦既厚且坚，使漆奁完整结实。盖面戗金为《园林仕女图》（**图9-7**）：两位仕女身着宋式花罗直领对襟衫，下穿曳地长裙，各执团扇和折扇缓缓行走，侍女捧瓶立于一侧。仕女衣衫上各戗金为细花，五官戗金纤细，柳树、山石戗金粗壮。奁外壁戗金为折枝花卉，花瓣上可见纤细

图9-7　[南宋]银釦十二棱莲瓣形戗金朱漆奁盖面,选自《中国美术全集》

的刷丝纹（**图9-8**）；盖内壁有朱漆书"温州新河金念五郎上牢"10字款。

图9-8　[南宋]银釦十二棱莲瓣形戗金朱漆奁，选自《中国美术全集》

村前乡5号墓出土"朱漆地戗金人物花卉纹长方盒"，外壁朱磦漆润光十足，盖面戗金为祖腹老人荷杖徐行，意态闲适，四壁戗金为折枝花卉，简淡清新似白描画，花叶上刷丝清晰，文雅之气直溢盒上，盒盖内有朱漆书"丁酉温州五马钟念二郎上牢"12字款。

村前乡4号墓出土"黑漆地戗金间攒犀柳塘图长方漆盒"，外壁黑漆地，盖面戗金为柳枝池塘小景，四面旁墙及盖墙戗金为花卉，花纹空隙处密集地钻出珍珠形凹眼，填以朱漆，朱漆鲜艳，盒盖内壁有朱漆书"庚申温州丁字桥巷廊七叔上牢"13字款。此种工艺，《髹饰录》记为"戗金间犀皮，一名攒犀"，此盒成为已知中国存世最早的攒犀漆器。村前乡5号墓还出土戗银间犀皮漆器残件，作为目前已知宋代戗银间犀皮漆器孤例，藏于常州博物馆。

日本称戗金为"沈金"且藏有中国元代戗金漆器多件。九州岛国立博物馆藏元代"戗金孔雀纹经箱",上有黑漆书"延祐二年(1315年)杭州油局……"文字,被作为"重要文化财"收藏。东京国立博物馆藏元代"黑漆地戗金莲唐草纹长方手箱",比村前乡墓出土漆奁金线变化丰富,精细莫可言说。15、16世纪,琉球沈金仿中国戗金到达顶峰,朱漆地、绿漆地见琉球特色。首里城琉球古皇宫藏有16、17、18、19世纪琉球沈金漆器,16世纪作品仿中国元代戗金几可乱真。浦添市美术馆藏16世纪"绿地沈金凤凰云纹丸柜",允推为该馆沈金藏品中的极品。

注　释:

[1][北宋]李诫:《营造法式》卷第十四《彩画作制度》,第3册,第2a页。

[2][元]陶宗仪：《辍耕录》卷三十《伐金银法》，《文渊阁四库全书》第1040册，台湾商务印书馆，1986年，第748、749页。

[3][晋]司马彪《后汉书·舆服志》："乘舆……金薄缪龙，为舆倚较。"说的是汉代皇帝车厢的"较"上，镶贴了薄金片的交龙图案而不是飞金图案。中华书局，1965年，第12册，第3644页。

[4][元]脱脱：《宋史·食货志》，中华书局，2011年，第13册，第4360页。

[5]隐起描金，指用油漆混合灰堆起浮雕图画，于浮雕图画上饰金属箔粉；识文描金，指用油漆混合灰盘绕为阳纹，于阳纹上饰金属箔粉。

[6]参见陈晶、陈丽华：《江苏武进村前南宋墓清理纪要》，《考古》1986年第3期；陈晶：《记江苏武进新出土的南宋珍贵漆器》，《文物》1979年第3期。

十、西塘漆乡

中国古代，"形而上者谓之道，形而下者谓之器"（《易经·系辞》），工匠总体地位低下。秦汉有"物勒工名"的制度——那是为了"以考其诚"，也就是追查工匠制品质量。宋代，士大夫赏玩器用形成风尚，于是出现了赏玩器用的著作。元代后期，江南文化复归。文人们歌咏器物与工匠，器物上再度出现了工匠姓名，工匠行迹也为方志记录。明清两代，人本思想率先在江南萌芽，江南工匠自我意识随之觉醒。他们在器物上刻写名款，不是为了"以考其诚"，而是为了立身扬名。

南宋至元、明，江南涌现出了许多工商小镇。浙江嘉兴西塘水路四通八达，农工贸易兴旺，元代张成、扬茂[1]、张德刚、彭君宝、包亮等西塘漆器工匠为方志记录。《嘉兴府志》记："张德刚，西塘人。父成，与同里杨（扬）茂俱擅髹漆剔红器。"[2]从此，西塘作为漆器之乡，名扬四方，张成、扬茂、张德刚等名达禁中。江户时代，日本漆工"有杨成者，世以善雕漆隶于官。据称其家法得自元之张成、杨（扬）茂"[3]，于是从张成、扬茂名字中各取一字，自号"堆朱杨成"，东京国立博物馆藏有堆朱杨成作品"松竹梅堆朱盆"；中国匠师欧阳云台，长期居住长崎造雕漆漆器，长崎人称"云台雕"。

　　张成、扬茂并不是剔红工艺的创造者。论创造，这门工艺得上溯晋唐。推光漆髹涂涂层累积，干固以后坚硬无比。漆工发现，天然漆内兑入熟桐油层层髹涂到一定厚度，漆层便变得柔软，方便进刀。对漆和桐油潜能的开掘，使南方六朝诞生了深雕云纹的雕漆工艺——剔犀。中国5世纪剔犀漆奁藏于上海博物馆，为东京松涛美术馆编《中国的漆工艺》、香港中文大学文物馆编《中国漆艺二千年》等见载。唐代漆工发明了剔红工艺。典籍记：

"唐制多如印板，刻平锦，朱色，雕法古拙可赏……宋元之制，藏锋清楚，隐起圆滑，纤细精致。"（［明］黄成《髹饰录》）也就是说，唐代剔红呈状如印版般的古拙风貌，宋元剔红技艺娴熟，精工不露。宋代漆工还创造出剔黑、剔彩等许多雕漆品种。

唐制剔红今已无存。宋代雕漆实物，境内传世极少而多收藏在日本，日本东京国立博物馆、根津美术馆、九州国立博物馆各藏有为数颇多的中国宋元雕漆漆器。神奈川圆觉寺藏宋代"剔红醉翁亭圆盘"、九州国立博物馆藏宋代"剔红后赤壁赋图圆盘"都重平面效果，忽略空间感，呈现出状如印版的早期雕漆之风；日本私藏北宋"剔红牡丹唐草纹盏托盘"，牡丹唐草纹丰腴宛转，剔刻极浅，花纹缝隙间土黄漆地刻六瓣花，美感淳和腴润（**图10-1**）。东京国立博物馆藏南宋"剔黑花卉纹漆盘"（**图10-2**），

图 10-1 ［北宋］剔红牡丹唐草纹盏托盘，选自东京松涛美术馆编《中国的漆工艺》

图 10-2 ［南宋］剔黑花卉纹漆盘，笔者摄于东京国立博物馆库房

剔刻不深，花、叶舒放，边缘磨露出埋伏在黑漆中的红漆层，形成红色的漆线轮廓，精磨不露棱角，美感含蓄温润。日本林原美术馆藏南宋"剔黑龙纹漆盒"（**图**10-3），雕双龙游走作太极图式咬合，周匝布满云纹，漆层较厚，刀过之处，露出埋伏在黑漆层中的红漆，形成回环往复的红色线条，美轮美奂。元代剔红接踵宋代剔红，北京故宫博物院藏张成造"剔红栀子花圆盘"，雕一枝花布满全盘，花叶肥满，翻卷自如，磨工圆润，润光内发（**图**10-4）；北京故宫博物院藏扬茂款"剔红山水人物纹八方盘"（**图**10-5），盘心雕一幅江南文士生活图画，入刀极有分寸，精磨全无棱角。而论天然趣味，元代雕漆较宋代雕漆已见不逮。如今市面上，不时可见针刻张成、扬茂款的剔红漆器，其中大部分是伪作。

　　明初剔红继承元代嘉兴剔红风格，"藏锋清楚，运

图 10-3 ［南宋］剔黑龙纹漆盒，日本林原美术馆藏，选自根津美术馆
编《宋元的美》

图 10-4 ［元］剔红栀子花圆盘，选自《故宫博物院藏雕漆》

图10-5 ［元］剔红山水人物纹八方盘，选自李中岳、张围生、李红编《中国历代艺术·工艺美术编》

刀之通法；隐起圆滑，压花之刀法；纤细精致，锦纹之刻法。自宋元至国朝[4]，皆用此法"（［明］黄成《髹饰录》）。永乐元年、四年、五年，皇帝将剔红等漆器200余件赠送日本[5]。永乐初尚不遑制造玩赏之物，皇帝赠送日本的漆器，主要是洪武时期在南京及其周边制造的[6]。晚明刘侗、于奕正记，"剔红，宋多金银为素，国朝锡木为胎，永乐中果园厂制。合（盒）、盘、匣不一……
其法，朱漆三十六次，镂以细锦，底漆黑光，针刻'大明
永乐年制'字……立后，厂器终不逮前。工屡被罪，因私
购内藏盘合（盒），款而进之，磨去永乐针书细款，刀
刻宣德大字，浓金填掩之。故宣款皆永器也。间存永乐原
款，则希有矣"[7]。永乐在位22年，十九年（1421年）才
迁都，迁都之初百事待举，难以分心制造器玩，由此笔者
推断，"永乐中果园厂"在南京。《嘉兴府志》记："张
德刚，西塘人。父成，与同里杨（扬）茂俱擅髹漆剔红
器。永乐中，日本、琉球购得之，以献于朝，成祖闻而召
之。时二人已殁。德刚能继其父，随召至京，面试称旨，
即授营缮所副。"[8]这里的"京"，显然指南京；"营缮
所"正设在南京，"果园厂"在"营缮所"下。宣德间，
果园厂移到北京，皇帝召嘉兴名工包亮为"营缮所副"，

而北匠群体不逮南匠，加之北方没有南方气候对髹漆的优势，宣德末，剔红便告衰落，所以才会有宣德漆工"磨去永乐针书细款，刀刻宣德大字，浓金填掩之"的记录[9]。北京故宫博物院夏更起先生逐渐摩挲库房内宣德款剔红，发现多系改刻，真宣德剔红寥寥，以至于乾隆皇帝搜罗到一件盒底针刻"大明永乐年制"细款的"牡丹花剔红漆圆盒"，竟高兴地在盒盖里壁题起诗来。大意为我能得到这前朝宝盒，是哪一位神灵在呵护我呢? [10]

宋代漆工还发明了剔彩，晚明高濂在《遵生八笺·燕闲清赏笺》中记，"有用五色漆胎，刻法深浅，随妆露色，如红花绿叶、黄心黑石之类，夺目可观，传世甚少"[11]。宋代剔彩漆器，日本德川博物馆等有收藏，境内剔彩藏品不早于明代，宣德款"林檎双鹂纹剔彩大捧盒"为北京故宫博物院藏一级文物。清代，境内剔彩藏品增

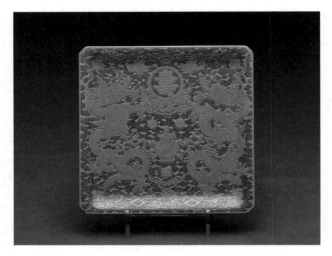

图 10-6　[清] 重色雕漆龙纹漆盘，选自《江宁织造博物馆特展（元明清漆器）》

图 10-7　[清] 堆色雕漆柿子纹漆盒，选自台北故宫博物院编《和光剔采——故宫藏漆》

多，有"重色"（俗谓"横色"）（图10-6），有"堆色"（俗谓"竖色"）（图10-7）[12]。

注 释:

[1]扬茂:《髹饰录》传世抄本中,以蒹葭堂抄本为早,蒹葭堂抄本书为"扬茂"。后人转抄、转刻本中,有书为、刻为"杨茂"的。今人解说本中,台北故宫博物院索予明先生与笔者取存世最早的抄本作"扬茂"。

[2]《嘉兴府志》卷十七下《人物一·方伎》,见南京图书馆藏康熙二十一年(1682年)刻本,第112页b。《嘉兴府志》记为杨明,索予明先生考证,西塘一支扬姓为提手之"扬",扬茂制"剔红花卉纹渣斗",器底针刻姓名正是提手之"扬"。见索予明《剔红考》,《故宫季刊》1972年第6卷第3期。

[3][清]黄遵宪:《日本国志》卷十《工艺志》,上海古籍出版社,2001年,第430、431页。

[4]国朝:古人称本朝为"国朝"。

[5]日本国书清单详细记录了日本受赠永乐203件剔红漆器的名称,见德川美术馆、根津美术馆编《雕漆》,昭和五十九年

（1984 年）版，第 237、238 页。

　　[6]Lee King-tsi and Hu Shih-chang, "Carved Lacquer of the Hongwu Period", *Oriental Art*, Vol.47, No.1, 2001.

　　[7][明] 刘侗、于奕正：《帝京景物略》卷四，古典文学出版社，1957 年，第 68 页。

　　[8]《嘉兴府志》卷十七下《人物一·方伎》，见南京图书馆藏康熙二十一年（1682 年）刻本，第 112 页 b。

　　[9][清] 高士奇《金鳌退食笔记》，《文渊阁四库全书》第 588 册，台湾商务印书馆，1986 年，第 425 页。

　　[10] 这件乾隆皇帝题诗的永乐款"牡丹花剔红漆圆盒"藏于台北故宫博物院。

　　[11][明] 高濂《遵生八笺》，选校本见长北《中国古代艺术论著集注与研究》，天津人民出版社，2008 年，第 321 页。

　　[12] 重色雕漆、堆色雕漆，见载于明代黄成《髹饰录》。

十一、工艺宝典

隆庆年间（1567—1572年），安徽新安名漆工黄成总结前人经验，写出古代唯一一本髹饰工艺专著——《髹饰录》。"髹饰"，前已解释；《髹饰录》，顾名思义是髹饰工艺的系统记录。半个世纪以后的天启年间（1621—1627年），嘉兴西塘扬明为之逐条加注并撰写序言。从此，《髹饰录》成为中国、东亚乃至世界髹饰工艺史上的经典著作。

《髹饰录》问世以后，以抄本形式在工匠中传阅，未几便在本土失传，清朝编《四库全书》未收，文人笔记不记，可见，《髹饰录》不为朝廷与文人所重。日本江户中期（大约中国清代嘉庆之初），蒹葭堂主人藏《髹饰录》抄本一部，世称"蒹葭堂抄本"（**图11-1**），辗转进入帝国博物馆（今东京国立博物馆）。1972年，台北故宫博物院研究员索予明先生向日本友人井上泾索求到蒹葭堂抄

图 11-1　彩色影印兼葭堂抄本
《髹饰录》，日本友人赠

本复印件，影印刊登于当年10月台北《故宫文物月刊》。从此，"兼葭堂抄本"《髹饰录》在华语世界流传开来。《髹饰录》写了些什么？又有什么特点呢？

此书分上、下两集，共18章。上集名《乾集》。《利用第一》以天、地、日、月、星、风、雷、电、云、虹、霞、雨、露、霜、雪、霰、雹等天文景象，春、夏、秋、冬、暑、寒、昼、夜等时令交替，山、水、海、潮、河、洛、泉等山川景象比附制造漆器的材料与工具，不明就里的读者乍读此集，如读天书。细细体味再考之于工匠方能悟出，譬喻使行文简练，具备了哲学高度。《楷法第二》强调髹饰工则并列举各类工艺可能产生的过失，将敬业敏求作为工匠楷法加以高度强调。它提出"三法"："巧法造化"指师法自然，"质则人身"指漆器的胎、灰、布、漆取法人体的骨、肉、筋、皮，"文象阴阳"指漆器纹饰依据阴、阳设定。接着提出"二戒"：忌"淫巧荡心"，忌"行滥夺目"，也就是说，反对过于奇巧、华而不实的时风，反对虚有其表而实质偷工减料。再提出"四失"：借《礼记》《论语》中先贤训诫，强调漆器制作之中要一丝不苟知过即改，制成之后要多加审察，不按规则制造的漆器不能拿到市场去卖，扬明注"不可雕"三字，语出《论语》"朽木不可雕"，则明显指向工匠的品行。最后提出"三病"：反对以一技之长秘不传人，反对局部的趣味与整体的意匠不统一，反对花纹与色彩不谐调。"三法""二戒""四失""三病"不仅讲制器楷法，更是讲工匠楷法亦即工匠应该遵循的行为规范。

下集名《坤集》。《质色第三》至《单素第十六》共14章，逐章记录了14大类漆器装饰工艺；《质法第十七》记漆器制胎工艺；《尚古第十八》记漆器的仿古、仿时与修复。这16章，梳理出了中华髹饰工艺的庞大体系，写出了明代中后期髹饰工艺"千文万华，纷然不可胜识矣"的时代面貌，以阴阳变化作为漆器装饰工艺分类的标准，极富中华特色的创造。集末专设《尚古》一章，扬明高张起"温古知新"的旗号，为后世工匠尊重传统、返本开新提供了积极借鉴。《尚古》章最后一条是"仿效"。作者将仿效的作品分为两类：一类是摹古，要"得古人之巧趣"；一类是仿今，要了解彼地之风。扬明加注说，凡是仿制品都应该加款注明"某姓名仿造"。《髹饰录》强调的工匠工则，体现出中华工匠立业必先立身的品行节操。

明代中后期，江南手工业商业繁荣，市民文化高涨，鉴藏之风盛行，漆器从趋同走向求异，造型花样翻新，装饰百端奇巧。晚明，西方传教士带来西方切于实用的器具，中国的士大夫开始反思以制器为雕虫小技的痼习，将关注的目光从"道"转向了"技"。徐光启《农政全书》、宋应星《天工开物》、计成《园冶》、黄成《髹饰录》、王徵《远西奇器图说》……正是晚明实学思潮的产物。它们远离多数文人想当然耳的笔记，走向田野，走进工坊，记录生产设计实践。《髹饰录》问世之后，东亚大漆髹饰工艺不断成长衍变精进，大体是在《髹饰录》记录的工艺体系基础上的变通、更新与超越。《髹饰录》成为《考工记》之后中国古代自成体系又有哲学高度的重要考工著作，同时成为全世界学者公认的髹饰工艺经典。

现当代，中国的学者写出多本关于《髹饰录》的解说。大体说来，王世襄先生《髹饰录解说》以"朱氏刻本"为底本，亦即日本大村西崖从蒹葭堂抄本复抄以后由朱启钤先生交阚铎重加笺注的版本，转抄转刻经手较多；索予明先生《髹饰录解说》与长北《髹饰录图说》《〈髹饰录〉与东亚漆艺》《〈髹饰录〉析解》均以全世界迄今流传所有版本的母本——蒹葭堂抄本为底本；长北2021年版《髹饰录图说》及2014年版《〈髹饰录〉与东亚漆艺》则以蒹葭堂抄本与后出的抄本——德川抄本对照解说。索予明先生《髹饰录解说》简洁浅显、综观约取，适合所有人阅读（**图11-2**）；王世襄先生《髹饰录解说》引经据典，适合书斋型学者阅读（**图11-3**）；长北《〈髹饰录〉与东亚漆艺》梳理东亚八千年髹饰工艺体系，信息量极大且注重田野调查与原始文献，图片欣赏性强，所记工艺

图 11-2　索予明著《髹饰录解说》，台湾商务印书馆 1974 年版

图 11-3　王世襄著《髹饰录解说》，文物出版社 1983 年版

有可操作性、可复原性（**图11-4**）；长北《〈髹饰录〉析解》按髹饰工艺的实际流程解说《髹饰录》，适合工人及大众阅读（**图11-5**）；长北2021年版《髹饰录图说》（**图11-6**）比2007年版《髹饰录图说》立体观照，校勘更严格、更详备，解说更严密，选择数据更典型、更全面、更严谨，更尊重原典语境，适合多学科学者阅读。《髹饰录》将与中华历史、东亚历史同在，流淌在东亚文化、人类文化的大河之中。

图 11-4 长北著《〈髹饰录〉与东亚漆艺》，
人民美术出版社 2014 年版

图 11-5 长北著《〈髹饰录〉析 图 11-6 长北修订版《髹饰录图说》，
解》，江苏凤凰美术出版社 2017 山东画报出版社 2021 年版
年版

十二、洋漆风行

"洋漆"这个词，与化工漆无关，乃指明清两代进入中国的日本漆器。它由康熙皇帝首先提出，此后，清宫档案将各地仿日本漆器、描金漆器也记为"洋漆"。

众所周知，明代以前，日本大举学习中华文化；明代以降，日本漆器和髹饰工艺反传到中国，中日文化交流进入了频繁交往的崭新阶段。"宣德间，尝遣漆工杨某至倭国，传其法以归。杨之子埙遂习之，又能自出新意，以五色金钿并施，不止循其旧法。于是物色各称，天真烂然，倭人来中国见之，亦齰指称叹，以为虽其国创法，然不能臻此妙也。"[1]《髹饰录》记录了许多"宣德以前所未曾有也"的髹饰工艺，如描金加蚼、描金加蚼错彩漆、描金斁沙金、描金错洒金加蚼、彩油错泥金加蚼金银片等，正是洋漆或中华漆工仿洋漆工艺。晚明，"近之仿效倭器，若吴中蒋回回者，制度造法，极善模拟，用铅钤口，金银花片，蚼嵌树石，泥金描彩，种种克肖，人亦称佳"，"有漂霞砂金，蜔嵌堆漆等制，亦以新安方信川制为佳。如效砂金倭盒，胎轻漆滑，与倭无二，今多伪矣"（［明］高濂《遵生八笺·燕闲清赏笺·论剔红、倭漆、雕刻、镶嵌器皿》）。可见，晚明中国漆工仿洋漆成风。

　　漆工仿制洋漆的先决条件是有物可参。晚明高濂记："漆器惟倭为最，而胎胚式制亦佳。如圆盒以三子小盒嵌内，至有五子盒，七子九子盒，而外圆寸半许，内子盒肖莲子壳，盖口描金，毫忽不苟。小盒等重三分，此何法制？方匣有四子匣，六子九子匣，箱有衣箱、文具替箱，有簪匣，有金边红漆三替撞盒，有洒金文台手箱、涂金妆彩屏风、描金粉匣、笔匣、贴金扇匣、洒金木铫角盥桶子罩盒，有罩盖箱罩，盖大小方匣。有书橱之制，妙绝人间。……有金银片嵌光顶圆盒、蔗段盒、结盒、腰子盒、腰子砚匣。有秘阁，有一枝瓶，有酒注，镴金铜镶口嘴。有折酒盂，上如大盏漏空，坐嵌一橐，以橐盖大碗，碗外泥金花彩，用之折酒，可免溅渍。有大小碟碗，红如渥丹。有描采嵌金银片子酒盘。有都丞盘，内有倭石砚、水注、刀锥、拂尘等件。有铅（锡）镶口盖扁小方匣，有笔筒，有茶橐，有漆龛观音、准提马哈喇等佛。有小圆香撞三层四层者。有挂吊腰子香撞五格三格者。有八角茶盘，有茶杯，有尖底劝杯，有铜罩被熏，有镜匣。有金银蜔嵌山水禽鸟倭几，长可二尺，阔尺二寸余，高二寸者。有高二尺香几，面以金银蜔嵌《昭君图》，精甚。种种器具，据所见者言之，不能悉数。而倭人之制漆器，工巧至精极矣！"可见晚明洋漆漆器大举进入中华之一斑。台北故宫博物院曾就清宫秘藏洋漆漆器举办展览并出版《清宫莳绘——院藏日本漆器特展》（**图12-1**）。

图 12-1　[江户时代] 荟扇纹散莳绘手箱，选自陈慧霞编《清宫莳绘——院藏日本漆器特展》

搜罗日本漆器仍难满足皇帝无度的占有欲。清宫档案显示，皇帝令工匠在宫中仿制洋漆漆器。雍正八年（1730年），皇帝曾令宫中"打造仿洋漆活计席窖一座"[2]。南京、苏州、扬州、福州各制造仿洋漆漆器进贡，从康熙朝至嘉庆朝，百余年未曾间断。如康熙三十二年（1693年），苏州织造李煦进"洋漆金银片圆盒、洋漆鼓式盒"等洋漆漆器两次共26件[3]；雍正七年（1729年），"太监张玉柱、王常贵交来……金漆万寿鼎案一件、仿洋漆万国来朝万寿围屏一座、雕漆五龙宝座一张（锦褥全分）、仿洋漆甜香炕椅靠背一座、仿洋漆云台香几二张、仿洋漆百步灯四架、宫定炉瓶盒三件、万福攸同甜香炕几一张、甜香炕几上陈设小香几一张、甜香花瓶一座、宫定香盘一个，俱系隋赫德进"[4]；雍正八年（1730年），苏州布政使高斌贡进"苏做洋漆香几十二对"[5]；"雍正十二年，司库常保持来洋漆炕几四张，系高其倬进，洋漆书架二张，系淮泰进"[6]；乾隆十年（1745年），苏州布政使安宁贡进"仿洋漆书架两对、仿洋漆书案一对、仿洋漆琴桌一对、仿洋漆插屏一对、仿洋漆菊花瑞草天然几一对"[7]；等等。北京故宫博物院藏洋漆漆器2400余件、仿洋漆漆器1600余件，数量之多，仅次于雕漆漆器[8]，江宁织造隋赫德进贡的"仿洋漆填香炕椅靠背"（**图12-2**）等至今收藏在北京故宫博物院。

　　晚明人又记，"倭用碎金入漆，磨漆金现，其颗屑圜棱，故分明也。蒋（回回）用飞金片点，褊薄模糊

图12-2 ［清］仿洋漆填香炕椅靠背，北京故宫博物院藏，选自朱家溍选编《养心殿造办处史料辑览》

耳"[9]；雍正皇帝批造办处洋漆盒"漆水虽好，但花纹不能入骨"（**图12-3**）[10]。这"漆水"指仿制品髹漆深厚，推光澄净如水；这"花纹不能入骨"乃因当时中华漆工还没有掌握在漆胎上撒金丸粉再固粉罩明研磨的"本莳绘"技术，而用金箔粉在漆面描金仿莳绘，所以，中国漆器上的金象"轻则漶漫，重则臃肿且无光彩"，日本莳绘漆器

图 12-3　[清]黑漆描金仿洋漆八仙祝寿图八角盒，笔者摄于上海博物馆

上的金象"金浓淡疏密，居然似画，且漆色与金色绝不相混，灰尘亦不粘滞"[11]。可见，直到清初，中国漆工仿洋漆尚未得其神髓。

　　明代中期，融通中日的髹饰工艺"漂霞"率先为《弘治温州府志》等记录。清初，安徽人方以智（1611—1671）在《物理小识》中解释"漂霞"说，"漂霞者，隐漆也，先画花而漆之，磨出者也"[12]，指出"漂霞"的工艺关键是"隐漆"。"隐漆"指漆胎上起花干后罩透明漆，中国漆工称"隐花""影花""沉花""暗花"（图12-4、图12-5）。若漂霞加金，则飞金花纹藏在透明漆

图 12-4　[明末清初] 东原戴震款漂霞漆砚盒，笔者摄于中国徽州文化博物馆

下，可保耐久，绝无"褊薄模糊"之患。现代中国，漆工多以铝箔粉代替金箔粉，透明漆的红棕色叠压在银色的箔粉上，随起花高低、罩透明漆厚薄呈现出淡金、黄金、红金等极其丰富、极有层次的金色，金光有深藏于透明漆下，有磨露出透明漆面，深浅浓淡，变幻莫测，美感深邃神秘（**图12-6**）。

图 12-5 ［清］漂霞漆盖盅，北　　图 12-6 ［现代］漂霞漆器，笔者购
京故宫博物院藏，甘而可供图　　于扬州"中国漆器精品展"

注　释：

[1][清]陈霆：《两山墨谈》卷十八，《续修四库全书》第
1143 册，上海古籍出版社，2002 年，第 354 页。

[2]朱家溍选编：《养心殿造办处史料辑览》第 1 辑，紫禁
城出版社，2003 年，第 202 页。

[3]康熙三十二年十二月苏州织造李煦奏进元旦龙袍并漆器
折（附单），收入中国第一历史档案馆编《康熙朝汉文朱批奏折
汇编》第 1 册，档案出版社，1984 年，第 8 页。

[4]中国第一历史档案馆、香港中文大学文物馆编：《清宫
内务府造办处档案总汇》第 4 册"记事录"，人民出版社，2005
年，第 199—200 页。

[5]夏更起：《故宫博物院藏"洋漆"与"仿洋漆"器探源》，《故宫博物院院刊》2015年第6期。

[6]李久芳主编：《故宫博物院藏文物珍品大系·清代漆器》，上海科学技术出版社，2006年，第29页。

[7]夏更起：《故宫博物院藏"洋漆"与"仿洋漆"器探源》，《故宫博物院院刊》2015年第6期。

[8]夏更起：《故宫博物院藏"洋漆"与"仿洋漆"器探源》，《故宫博物院院刊》2015年第6期。

[9][明]刘侗、于奕正：《帝京景物略》卷四，古典文学出版社，1957年，第68页。

[10]朱家溍选编：《养心殿造办处史料辑览》第1辑，紫禁城出版社，2003年，第235页。

[11][清]谢坤：《金玉琐碎》卷下"东洋漆鹿角灰八宝灰"条，收入黄宾虹、邓实编《美术丛书》第2册，江苏古籍出版社，1986年，第1820页。

[12][清]方以智：《物理小识》卷八《漆器法》，《文渊阁四库全书》第867册，台湾商务印书馆，1986年，第912页。

十三、冰山势倒

明代嘉靖年间，扬州工匠周柱用珍珠、宝石、珊瑚、碧玉、翡翠、水晶、玛瑙、玳瑁、砗磲、青金、松石、象牙等贵重装饰材料，雕成山水、人物、树木、楼台、花鸟，镶嵌在檀木、梨木家具或漆器之上，大件如桌椅、书架、屏风，小件如笔床、茶具、砚匣、书箱，当时人称"周制"，或称"周嵌"。

漆器镶玉，古已有之，"周制"却是明代装饰之风极端化的产物，《髹饰录》将此类工艺记为"百宝嵌"。其时代动因是，南洋红木源源不断进入中国，硬木家具率先在江南流行；加之明清江南玉雕业兴盛，百宝镶嵌便成为玉器加工的副产品。《扬州画舫录》记："玉器琢余碎，取入钿花用。又碎不堪者，碾筛和灰涂琴瑟"，"其碎者则镶嵌屏风挂屏插牌，谓之玉活计"。[1]周柱制作的百宝嵌被称为"吴中绝技"，清代阮葵生《茶余客话》记：

"周柱治镶嵌……皆名闻朝野，信今传后无疑也。"[2]

周柱成名的年代，正值奸相严嵩（1480—1567）把持国政。严嵩贪赃枉法，对奇珍异宝巧取豪夺，甚至在家中蓄养工匠为他制造器玩，周柱也被他收在家养行列。严嵩被弹劾籍没家产，搜出金银珠宝古玩时玩不可胜数。其被籍没的古玩时玩被一一记录，书画清单名《钤山堂书画记》，器玩清单名《天水冰山录》。"天水"者，严嵩籍贯；"冰山"者，指严嵩势倒，一败涂地也。其中记录有：屏风围屏108座架，床17张，琴共54张，雕漆盘盒230个，描金盘盒531个……还有漆素木屏风96座，新旧围屏185座，各色描金油漆神龛41座……[3]足以陈列一个大规模的漆艺作品展览馆。严嵩被籍没的漆器漆艺家具中，必定有不少出自周柱之手，或是由周柱领作的。

有周柱名款的硬木百宝嵌，如台北故宫博物院藏"紫

图13-1　[明]紫檀木百宝嵌圆砚盒，选自台北故宫博物院编《和光剔采——故宫藏漆》

檀木百宝嵌圆砚盒"（**图13-1**）。盒盖面镶嵌梅花、茶花与蜡嘴鸟，木雕树干布满皴纹，珍珠贝梅花上细刻蕊丝，染牙为叶片；盒盖内面刻隶书乾隆诗一首及落款："楼阁仙山涌海波，制从宣德仿宣和。同工书画殊为政，明帝过于宋帝多。乾隆甲辰御题"；盒底有嵌银丝篆文印"吴门周柱"。严格说来，这件周柱款砚盒没有上漆，不能说是漆器。作为漆器的"百宝嵌"，北京故宫博物院和台北故

图13-2　[清]百宝嵌间描金博古图八方漆盒,选自台北故宫博物院编《和光剔采——故宫藏漆》

宫博物院各有收藏(**图13-2**)。从此,凡是硬木家具器皿上的百宝嵌或漆器上的百宝嵌,不论是否出自周柱之手,文人笔记往往记为"周制"。

　　对周柱百宝嵌工艺,当时人就褒贬不一。晚明浙江人张岱记:"吴中绝技……周柱之治嵌镶,赵良璧之治梳，朱碧山之治金银，马勋、荷叶李之治扇，张寄修之治琴……俱可上下百年保无敌手。但其良工苦心，亦技艺之能事。至其厚薄深浅，浓淡疏密，适与后世赏鉴家之心力、目力，针芥相对，是岂工匠之所能办乎？"[4]直言周制器物雕琢过分，未必能够取悦后世。晚明浙江人高濂批评道："又如雕刻、宝嵌、紫檀等器，其费心思工本，亦为一代之绝，但可取玩一时，恐久则胶漆力脱，或匣有润燥伸缩，似不可传……况今之镶嵌，在在皆是也，与周初制，何天渊隔也，价亦低下。"（《遵生八笺·燕闲清赏笺》）指出周制器物晚明就已经被追风仿制，与周柱刚扬名时的作品判若云泥。以至清初，商人牟取珊瑚宝石，对周制器物挖真补假，更使周制器物惨遭毁损[5]。对围绕周柱及百宝嵌工艺的世事风云，您又是怎么看的呢？

注　释：

[1][清]李斗：《扬州画舫录》卷一七《工段营造录》，江苏广陵古籍刻印社，1984年，第401页。

[2]阮葵生：《茶余客话》卷十"一艺成名"条，见《笔记小说大观》第19册，江苏广陵古籍刻印社，1983年，第376页。

[3][明]佚名：《天水冰山录》，《丛书集成新编》第48册，新文丰出版公司，1985年，第473、477、503、504页。

[4][明]张岱：《陶庵梦忆》卷一"吴中绝技"条，上海古籍出版社，1982年，第9页。

[5]事见[清]谢坤《金玉琐碎》卷下"漆器周翥"条："周翥以漆制屏、柜、几、案，纯用八宝镶嵌，人物花鸟，亦颇精致。愚贾利其珊瑚宝石，亦皆挖真补假，遂成弃物，与雕漆同声一叹。余儿时犹见其全美者。曰周制者，因制物之人姓名而呼其物也。"收入黄宾虹、邓实编《美术丛书》第2册，江苏古籍出版社，1986年，第1820页。

十四、梦回千里

　　话说中华手工艺人的真正扬名，乃因与士大夫互动。明中叶以降，朝廷昏聩，国祚日衰，反倒促成了浪漫主义思潮风起云涌，社会思想空前解放。此时，江南经济已是极度富裕，文化已是极其成熟，手工商业已是极端繁荣。江南文人眼见世事纷乱，功名无望，于是耽于琴书，赏玩字画，重视生活享受。他们精心营造园林居室，寻找能够理解自己设计意匠的工匠定制手工艺品，苏州、扬州、南京、杭州等地成为中国私家园林最为集中发达的地区。于是，江南民间作坊瞄准文人需求创作手工艺品，追新逐异以迎合文人心理，加之江南工匠身受江南文化氛围的濡养，以标榜个性、能诗擅画为时髦，创造思维从明初极权的管辖中解放了出来，江南手工技艺一跃领先于北方官营、民营作坊之上。文人的品鉴、收藏、吹捧和记录使江南手工技艺声名日高，工匠甚至以一技"名闻朝野""知名海内"。嘉靖初王世贞记："今吾吴中陆子刚之治玉，鲍天成之治犀，朱碧山之治银，赵良璧之治锡，马勋治扇，周治治商嵌，及歙吕爱山治金，王小溪治玛瑙，蒋抱云治铜，皆比常价再倍，而其人至有与缙绅坐者。"[1]晚明，江南手工艺领袖全国，江千里正是晚明江南手工艺高地上的一位名匠。

江千里，字秋水，王士禛《池北偶谈》、朱琰《陶说》、郑师许《漆器考》记为"姜千里"，明末清初吴人，长期居住于扬州，一生喜作夹纻胎漆杯盘，以螺钿加金银片平脱出文学故事和锦纹图案，撒银粉、螺屑、漆屑等磨显，有的加之以描金描银工艺，人物锦纹均极工致。《嘉庆扬州府志》记："康熙初维扬有士人查二瞻工平远山水及米家画，人得寸纸尺缣以为重。又有江秋水者，以螺钿器皿最精工巧细，席间无不用之。时有一联云：'杯盘处处江秋水，卷轴家家查二瞻。'"[2]将江千里与寓居扬州的新安派画家查士标相提并论。清代阮葵生记："江千里治嵌漆……皆名闻朝野，信今传后无疑也。"[3]其时有诗人刘应宾寓居扬州，盼望得到江千里嵌螺钿加金银片漆器，以至日思夜梦，一觉醒来，兴奋地写道："螺钿妆成翡翠光，紫霞秋澈婺州香。……形神俱美真通太，假寐仍期到梦乡。"[4]（大意为江千里螺钿漆杯闪动着翡翠般的光芒，像秋天晴空的晚霞，像金华酿造的美酒，形神俱美，令人心醉，我不望梦见南柯黄粱，只望再梦见一回江千里嵌螺钿漆器！）

前已有言，中国的金银平脱工艺唐五代以后归于沉寂。元代开始，聪明的中华工匠将金银丝、片与螺钿交错杂嵌于漆器。"螺"与"钿"本是两类不同的材料，"螺"泛指江河湖海中贝类动物的介壳，"钿"指金银宝石。元代中期，于嵌螺漆器上嵌钿，可以说是词性复归，诗人揭傒斯有诗《赠髹者黄生》，其中有句"黄金间毫发，文螺错斓斒"[5]，正是形容螺钿加金银片漆器。明末，螺钿加金银片成为漆器流行工艺，江千里外，徽州吴岳祯亦为一时名匠。

　　江千里制嵌螺钿加金银片漆器，北京故宫博物院、中国国家博物馆和扬州、苏州、南京、上海等地的一些博物馆及海外各有收藏，其中不少是清人仿作。北京故宫博物院收藏总数达20余件，方盒、圆盒、方盘、圆盘、酒杯等水平高下大相径庭；江南各博物馆藏江千里款嵌螺钿加金银片漆器亦不在少。扬州博物馆藏江千里款"嵌螺钿加金银片正圆漆盘"4件，另有未镌江千里款的嵌螺钿加金银片漆盘17件，有正圆、正方委角两种，直径或边长在10～12厘米，盘心多嵌山水人物，盘边嵌二方连续图案，

图 14-1　[清]嵌螺钿加金银片山水人物圆漆盘，笔者摄于上海博物馆

其中10只方盘可定为清人仿作。上海博物馆藏有江千里款"嵌螺钿加金银片正方委角黑漆盘"1只、无款"嵌螺钿加金银片山水人物圆漆盘"3只（**图14-1**）。风格相近的明末清初嵌螺钿加金银片小型漆器皿，安徽博物院、沈阳鲁迅美术学院文物馆、香港中文大学文物馆、日本东京国立博物馆、韩国北村美术馆、美国旧金山亚洲艺术博物馆等各有收藏。香港中文大学文物馆藏清初"嵌螺钿加金银

图 14-2　[清] 嵌螺钿加金银片黑漆花瓶，选自
香港中文大学文物馆编《中国漆艺二千年》

片黑漆花瓶"（**图14-2**），在10.7厘米的高度中，用连续
的圆形小金片嵌为涡线，将瓶身分割为几大装饰区，各区
内以螺钿加金片嵌为锦纹，瓶颈金、螺花叶纹交织，美轮
美奂。该馆将作品年代定为清初，笔者以为，从其精美又

有动感的构图分析，为清盛期作品。

　　嵌螺钿加金银片漆器给人第一观感是视觉美，第二观感是工艺难。其难表现在以下方面：一是选料难。彩色贝壳通过煮、磨或油煎成为薄贝片，往往五色斑驳，要从中选出红的花、绿的叶、黄的果实，组成纯净而又丰富、谐调而不杂乱的画面。二是切割难。一件嵌薄螺钿加金银片漆器，要点植数以万计小如粟米的螺钿嵌件。为提高切割速度并使相同部件整齐一律，往往需要打制几十把类似模凿的刀具。三是点植难。数万丝片的点植，不允许有丝毫高度误差，稍有误差，就会造成部分螺片磨穿或部分螺片还埋在漆下无法显露的过失。用"心细如发"形容薄螺钿工人的劳动，真是恰如其分。今天的人了解这门手艺繁难，并不为推广此项复杂工艺，而在传承"铁杵磨成针"般的工匠意志，传承江南工匠基于生命自由理想下的创造精神。

注　释:

[1][明]王世贞:《觚不觚录》,《文渊阁四库全书》第1041 册,台湾商务印书馆,1986 年,第440 页。

[2]王世襄、朱家溍主编的《中国美术全集·工艺美术编·漆器》前言引《嘉庆扬州府志》有"家家盘嵌江千里,户户堂悬查二瞻"联句,笔者查《嘉庆扬州府志》写江千里联句是"杯盘处处江秋水,卷轴家家查二瞻"。为此,笔者曾专门致函王先生提出疑问,王先生回函说,为调平仄,他对古书字句作了更动。本书引《嘉庆扬州府志》原联句。

[3][清]阮葵生:《茶余客话》卷十"一艺成名"条,见《笔记小说大观》第19 册,江苏广陵古籍刻印社,1983 年,第376 页。

[4][清]刘应宾:《平山堂诗集》卷下《七言律》,南京图书馆藏康熙刻本,第45 页。

[5][元]揭傒斯:《赠髹者黄生》,见杨镰主编《全元诗》第27 册,中华书局,2013 年,第237 页。

十五、清宮御用

康熙、雍正、乾隆三朝，经济积累逐渐丰厚，皇帝不是将国库积帑用于生民百姓，而是用于大肆挥霍，选派工匠赴京进造办处制作御用器物，同时任由各省大量进贡奇珍异玩，大批竞奇斗巧的漆器漆艺家具成为清宫秘藏，乾隆朝制品尤其质美量大工精。

北京故宫博物院藏有许多当年清宫造办处召募工匠制作的手工艺品。其总体特点是：不惜工时银两，只求材美技精。试举一例。《髹饰录》记录的"磨显填漆"系列，多数为唐代人发明，"镂嵌填漆"却是明代人创造，它与"磨显填漆"的不同在于：磨显填漆在漆胎上设纹，镂嵌填漆在完成上涂的漆面刻纹；磨显填漆填漆为质，干固以后全面磨显，镂嵌填漆用漆填纹，干固以后只磨显其纹。其共同的特点则是成品文质齐平，妍媚光滑。晚明刘侗、于奕正《帝京景物略》记，"填漆刻成花鸟，彩填稠漆，磨平如画，久愈新也。其合制贵小，深者五色灵芝边，浅者回文戗金边。其古色苍然莹然，其器传绝少，故数倍贵于剔红"[1]，说的正是镂嵌填漆。清代，镂嵌填漆漆器进入了宫掖，如北京故宫博物院藏清代"镂嵌填漆大花瓶"（**图15-1**），气度沉厚，一望便知系宫廷作坊制品。清代闭关锁国以后，海螺来源减少，于是，嵌厚螺钿工艺再度兴起。厚螺蚌图案嵌于圆形器皿，很难随器伏帖，而北京故宫博物院藏清中期"红漆地嵌硬螺钿团花纹攒盒"（**图15-2**），红漆深厚典丽，夜光螺宝光灿烂，嵌硬螺钿团花纹既没有隐在漆下，也没有被磨穿磨破，可见清中期宫廷工匠嵌螺钿手艺的精绝。

论各地进贡清廷漆器，苏州数量可称第一。乾隆朝，苏州织造大量进贡朱漆脱胎菊瓣盘、碗、盒等，"脱胎菊瓣形朱髹漆盘"（**图15-3**）脱胎轻薄，花瓣工整，朱漆

图 15-1　[清]镂嵌填漆大花瓶，北京故宫博物院藏，选自王世襄编《中国古代漆器》

图 15-2　[清]红漆地嵌硬螺钿团花纹攒盒，选自李久芳主编《故宫博物院藏文物珍品大系·清代漆器》

图 15-3　[清]乾隆款脱胎菊瓣形朱髹漆盘，选自李久芳主编《故宫博物院藏文物珍品大系·清代漆器》

温润蕴藉，盘心浓金书写乾隆皇帝诗："吴下髹工巧莫
比，仿为或比旧还过。脱胎那用木和锡，成器奚劳琢与
磨……"这首诗被反反复复浓金书写在苏州贡御的脱胎菊
瓣形朱漆盘、碗上。

　　论各地进贡漆艺家具，扬州两淮盐政数量可称第一。
清中期，江苏贡御中出现了玉镶嵌与雕漆结合的华贵品
种。北京故宫博物院藏有乾隆间"雕漆嵌玉山字大地屏"
等一套七件（**图15-4**），屏高8尺，屏面与宝座背板黄漆
地上镶嵌白玉、碧玉、象牙等雕成的荷花飞燕，场面宏
大，豪华富丽，七件皆饰以红雕漆。清宫档案有江苏巡抚
奇丰额进"嘉谷瑞麦像生盆景一对"[2]、淮安漕运总督管
干珍进"雕漆四季同春盆花二对"[3]等的记录，可见玉镶
嵌雕漆盆景为江苏贡御之作（**图15-5**）。

　　造办处制造加各地进贡仍难满足皇帝私欲。乾隆皇

图 15-4　[清]雕漆嵌玉山字大地屏等一套七件，选自胡德生编《故宫
经典·明清宫廷家具》

图 15-5 ［清］玉扎花红雕漆铜钿鎏金花盆盆景，选自台北故宫博物院
编《和光剔采——故宫藏漆》

帝甚至将宫内装修构件发样到苏、扬二州，用当地特种工艺制作以后运往京城安装。清宫档案记录，北京故宫多处室内装修是扬州承做。笔者考察北京故宫博物院宁寿宫花园内未经今人修复的符望阁，见窗棂隔扇竟用镶嵌玉石、嵌珐琅、嵌螺钿、剔红及木雕、錾铜、双面绣、竹丝镶嵌等工艺装饰，品类之繁多、用材之高档、工艺之精细，令笔者惊异之至！其碧纱橱"贴落"[4]用青玉、白玉镶嵌出折枝花鸟画面，楼裙板一围全以嵌螺钿加金片平脱出锦纹地，锦纹地上等距离镶嵌菱花形剔红图案，隔扇门格心木雕镶嵌白玉、青玉（**图15-6**）。数一数符望阁房屋上镶嵌了多少羊脂白玉，您就会明白，和田羊脂白玉是怎么迅速告罄的了！

　　清代民具皆用天然漆髹饰。民间砌房造屋，大木作油饰有三麻二布七灰糙油垫光油朱红油饰，二麻一布七灰糙

图 15-6　[清乾隆]格心镶木雕花叶加白玉佛手，笔者摄于北京故宫博物院符望阁

油垫光朱红油饰，又次之二麻五灰、一麻四灰、三道灰、二道灰诸做法[5]。清代天然漆髹饰工艺品类繁多如百花竞放，各地形成了鲜明的地方风格。中国民间用天然漆髹饰器具的传统，一直延续到工业革命浪潮到来之前的20世纪末。

注 释:

[1][明]刘侗、于奕正:《帝京景物略》卷四,古典文学出版社,1957年,第68页。

[2]中国第一历史档案馆、香港中文大学文物馆编:《清宫内务府造办处档案总汇》第55册"贡档",人民出版社,2005年,第744页。

[3]中国第一历史档案馆、香港中文大学文物馆编:《清宫内务府造办处档案总汇》第55册"贡档",人民出版社,2005年,第766页。

[4]贴落:指楼阁碧纱橱迎面横眉至顶板的装饰部位。

[5][清]李斗:《扬州画舫录》卷一七《工段营造录》,江苏广陵古籍刻印社,1984年,第393页。

十六、卢氏文玩

清代晚期，中国的髹饰工艺已经每况愈下，扬州卢氏漆作坊却以制造漆文玩异军突起，清代袁枚《小仓山房文集》、陈文述《画林新咏》、顾广圻《思适斋集》、钱泳《履园丛话》等各有记录。

卢氏漆工世家于乾隆朝开始制造和营销漆器，而于道光朝传至卢映之孙葵生时为最盛。北京故宫博物院、中国国家博物馆和上海博物馆、南京博物院、扬州博物馆、苏州博物馆、天津艺术博物馆等各藏有卢葵生款漆器，总数为50余件。其漆制砚盒、茶壶、束盒、臂搁、花盆、花架等，造型于朴素大方中求变化，漆色往往深黯，很少五彩描画，最擅在深黯地子上浅刻书画或嵌螺钿，即使镶嵌骨、牙，也绝不镂空奇巧，只以点缀色彩为目的，于是形成清淡洒脱、雅致疏朗、与士大夫精神默契的产品特色。

卢葵生漆器以套装漆沙砚的漆砚盒为最多。笔者在

李一氓先生府上见其家藏"卢葵生款黑漆长方委角文具套
盒"（图16-1），木胎，髹暗赭色漆，盒面用象牙、螺钿
等镶嵌华嵒《双骏图》。打开盒盖，漆盖板上刻、挑、
刮、擦出书画名家陈衣白描山水人物，左上方刻陈衣行书

图 16-1　[晚清] 卢葵生款黑漆长方委角文具套盒，笔者摄于北京李一
氓府

款"甲戌春日"，下接针划篆文"陈"字正方印。掀开悬板，见又一块漆板平卧于盒底，左半镂出长方、六角、海棠形穴槽，分别嵌入漆沙砚一方、铜胎戗金细钩填漆六角印泥盒一只、铜胎赭漆描银小水丞一只，右首，木胎长漆盒用以盛笔，海棠形水丞顶有小孔，可供伸进水勺。铜水勺插入水丞后，圆卵状的勺柄头正好兼作水丞盖。砚盒夹层内藏有暗屉，用于置放文牍信笺。这件漆砚盒，以多种髹饰工艺搭配装饰又文气十足，工巧不觉淫滥。如果没有较高的审美修养，没有整体的设计意匠和对多种髹饰工艺的熟稔，是难以调动多种工艺用于一件作品并且取得谐调的艺术效果的。

仿紫砂漆壶、绿沉漆壶也是卢葵生漆玩中一个很有特色的品种，其造型有方有圆，圆者有秦权式、井栏式。卢葵生活动的道光年间，曼生壶已经名震江南，所以，卢

葵生以漆壶仿陈曼生紫砂壶。笔者在上海博物馆得见一把
"卢葵生款锡胎仿曼生紫砂漆壶"（**图16-2**），口径8.7
厘米，底径14.2厘米，连盖通高8.5厘米，通体作圆台形，
一侧有流，一侧为曲柄，顶面有圆柱形捉手。外壁一面阴
刻隶书题识"维唐元和六年岁次辛卯五月甲午朔十五日戊
申，沙门澄观为零陵寺造常住石井阑并石盆，永充供养。

图 16-2　[晚清] 卢葵生款锡胎仿曼生紫砂漆壶，笔者摄于上海博物馆

大匠储卿、郭通以偈赞曰"51字，另一面刻偈语"此是南山石，将来造井阑。留传千万代，各结佛家缘。尽意修功德，应无朽坏年。同沾胜福者，超于弥勒前"40字，阴刻行书款文18字，与南京博物院藏陈曼生设计、杨彭年手制的"井栏式陶壶"壶式、阴刻石井阑文、偈语完全一致，只是阴刻行书题款"曼生抚零陵寺唐井文制为茶具"改为"戊申夏六月葵生抚零陵寺唐井文制为茶具"，下接阴刻长方篆文"栋印"二字，刻字方正沉厚，骨肉匀适，刀法严谨，饶富金石趣味。"戊申"为1848年，可断此壶为卢葵生逝世前两年作品。

卢氏漆文玩的成就，与卢葵生和当时名流广泛交往、自身通晓书画是分不开的。其漆盒、漆壶、漆臂搁多移植华嵒、陈农、汪士慎等人的画稿，或金农、钱大昕等人的书法浅刻于漆面，漆文玩成为士大夫以坯当纸、寄性其中的所在，诗书画印，融为一体，刀工笔趣，相得益彰[1]。嘉庆间校书家顾广圻写《漆沙砚记》赞美卢映之恢复漆沙砚工艺之功，"端溪老坑，采凿已罄；澄泥失传，粗疏弗良；求砚之难，殆同赵璧。若此漆沙有发墨之乐，无杀笔之苦，庶与彼二上品媲美矣！适当厥时，以济天产之不足，且补人为所未备"，赞美卢葵生除漆玩"能世其家"之外，"尤擅六法，优入能品，交游多文学之士"，预言卢葵生"异日必更值米芾，高似孙之伦，或以史，或以笺，表而章之，大显于世"[2]。李一氓先生私藏《卢葵生设色山水卷》一轴，画首有"古榆书屋"白文小印，画尾题"癸未（1823年）夏六月为筠樵二兄大人正之葵生栋"，钤白文"卢栋之印"，押朱文收藏章"河北马千里"，虽比不上名家之作，还是严谨见功底的[3]。南京博物院藏有卢葵生绘《山口待渡图》一轴，扬州博物馆藏有

《卢葵生书画山水扇面》两帧：可见卢葵生书画造诣之一斑。

随着卢氏漆制文玩声名在外，各作坊纷纷仿制，卢葵生不得不在砚匣内夹入仿单，指斥仿制者"假冒不得其法"，可见，传世卢葵生款漆器中有伪作。清代陆子受称："卢栋，扬州人，善髹漆，顾二娘之砚匣，多其手制，其用朱漆者尤精。上刻折枝花卉或鸟兽虫鱼，皆非寻常画工所及。合作者始刻名款，否则止用葵生小印而已。"[4]这段话提供了这样一个信息：卢葵生漆砚匣内的砚台为顾二娘手制；留有"卢葵生制"名款的漆器为卢葵生认可，仅有"葵生""葵生制""葵生刻"一类小印的作品，为作坊一般之作。笔者排比所见卢葵生漆器，大抵盒外底正中或里底正中、格屉反面、砚底钤朱漆阳文正方双行篆字印"卢葵生制"的，朱印色泽鲜红，工整秀丽，规格大小完全一致，多为精品；干支下或书画家名款后续刻行书款"葵生""葵生制"，隶书款"葵生刻"，楷书款"葵生"或款后加刻"葵生""栋"字小方印的，往往有书卷气；砚侧刻"葵生监制""江都卢葵生监制"或盒面、盒外底正中，砚墙朱漆写阳文、阴文，或刻阴文长方篆字小印"葵生制"、阴文正方篆字小印"栋"或"葵生监制"与"葵生"小印并用的，往往平平。卢葵生当系一位精通漆艺和设计又有较高艺术修养的作坊主，优游于书画与文人之间，兴会来时，可能动手参与制作，大多数作品则是他督造，不是他制作的。

卢氏漆文玩在嵌、雕、刻、钩、描上做清淡文章，代表了清代晚期江南文人的审美，直接推进了扬州漆器的文人化进程。日本江户晚期流行套装莳绘文具盒，尾形光琳、小川破笠、本阿弥光悦等各以制造莳绘砚箱砚台成为

图 16-3　[晚清] 卢葵生监制三足褐漆葵口盘，德国明斯特艺术涂料博物馆藏，莫妮卡·科普林（Monika Kopplin）博士供图

江户时代名家，其中正有对卢葵生套装漆文具盒造型、装饰等的模仿。卢葵生漆器甚至传往西方。如德国明斯特艺术涂料博物馆藏"三足褐漆葵口盘"（**图16-3**），古雅大方，盘底书一圈朱漆铭文"道光丙午春月古榆书屋卢氏葵生监制"。卢葵生成为扬州漆器历史节点上的关键人物。

注 释:

[1]本句所涉书画家：华嵒，字秋岳，号新罗山人；汪士慎，字近人，号巢林；金农，字寿门，号冬心先生。他们与郑燮、黄慎等被列为扬州八怪。陈农：清代扬州画家。钱大昕：清代史学家，在史学、经学、金石、小学等领域均有建树，擅书法，能绘画，著作等身。

[2][清]顾广圻：《思适斋集》卷五《漆沙砚记》，扬州图书馆古籍部藏清刻本，第15页。

[3]李一氓：《跋卢葵生山水画卷》，《文物》1988年第7期。

[4][清]陆子受：《萝窗小牍》，原书多方求索未果，转引自王世襄、袁荃猷《扬州名漆工卢葵生和他的一些作品》，《文物参考资料》1957年第7期。

十七、南沈北梁

在中国漫长的小农经济社会形态里，除官营作坊外，农舍手工业农闲则兴，农忙则停。宋代，随城市市场兴起，出现了市民作坊。元代和明代前期，官营手工业被再度强化。晚明，江南市民文化高涨，市场经济空前繁荣，市民作坊终于成为手工艺行业的主要运营形式。直到皇权垮台，中国的手工业才真正告别了官营作坊，由星罗棋布的市民作坊取代。晚清到近代市民作坊中，以福州沈绍安和扬州梁福盛享一时声名之盛。

福州人沈绍安（1767—1835），于乾隆年间在福州杨桥路双抛桥附近创办漆器作，共传五代，各代皆在店号之前冠以"沈绍安"三字。第一代传人沈初朱，瞄准福州对外开放的商机，以漆器模仿西方人用品，制成茶具、烟具和咖啡具，打开了福州脱胎漆器的外销渠道。第二代传人沈作霖，擅制仿古铜漆器。第三代传人中，沈允中承继祖业，沈允济擅长描金漆画，沈允钦擅长配漆调色，沈允华擅作钉铜装饰。第四代传人中，沈正镐为长房长孙，接管老字号店铺号"沈绍安正记"，亦称"镐记"；沈正恂在宫巷开业，号"沈绍安恂记"；沈幼兰在仓前山开业，号"沈绍安兰记"；沈正恺、忱正愉、沈正憘分别开店，号"沈绍安恺记""沈绍安愉记""沈绍安憘记"。1887年，福建地方官购买镐记、恺记脱胎漆器进贡慈禧，慈禧太后赐正镐、正恂兄弟四品商勋、五品顶戴，沈绍安因此名列《闽侯县志》，沈氏漆器声誉鹊起。当代，沈绍安第六代孙沈元改业空气动力学研究，从此结束了家族传承手艺的历史。

　　沈氏漆器作坊的杰出贡献在于：承接夹纻漆像余绪，用细夏布或丝绸糊漆成胎，制成脱空人物、飞禽、花果、走兽，坚固轻巧，细致逼真，转折圆活，栩栩如生，福州脱胎漆器从此扬名。"脱胎"者，正是指绸布胎从泥模中脱出。其传人改进一次性泥模为一模多脱。其第四代传人沈正镐、沈正恂兄弟首创以金银泥入漆制为"薄料漆"，用手掌薄薄拍打在漆面。比较厚料漆髹涂，薄料漆拍敷大大节约了用漆，更使漆器在朱、黑等传统的暖色、低调色之外，出现了含金蕴银的高明色彩，金光银辉经漆的围裹变得含蓄而不炫目，诚为晚清中国髹饰工艺史上最为杰出的创造（**图17-1**）。从此，福州脱胎漆器娇黄、粉绿，千颜百色，形成造型丰富、坚牢轻巧、明丽鲜亮、光可照人的地方特色，薄料漆拍敷被广泛用于福州漆器装饰（**图17-2**）。

沈氏漆器声名鹊起，博览会兴起是外在动因。从1898年沈正镐创作"莲花盒""茶叶箱"参加法国巴黎博览会获得金牌起，沈氏漆器在博览会屡获殊荣。如1904年美国

图 17-1　[晚清]脱胎薄料漆荷叶瓶，沈正镐制，笔者摄于福建博物院

图 17-2　[近代]脱胎薄料漆芙蓉秋叶盘，沈正镐制，笔者摄于上海博物馆

圣路易斯博览会上获得头等金牌，1910年南洋劝业会上获一等商勋金牌。此外，1915年美国旧金山巴拿马太平洋万国博览会、1926年美国费城世界博览会、1928年中华国货展览会、1929年西湖博览会、1933年美国芝加哥世界博览会等，沈氏漆器作品也频频获奖。于是，福州出现了"胜绍安""新绍安""枕绍安""锦绍安"等冒名店号，多达40余家。

比较沈绍安漆器作，扬州人梁友善创立的"梁福盛漆器作"比较晚近，共传四代。其同治七年（1868年）于扬州辕门桥创业，店堂檐檩挂刻漆填金横匾"梁福盛仿古漆玩"，可见其继承了扬州漆制文玩传统。《民国江都县续志》记，"漆器自卢葵生后为扬州特产，销行甚广。其仿制最善者近为梁福盛。郡城各肆岁销银币约三万，而梁福盛居其半焉"[1]，"嵌玉插牌嵌为各种花鸟形供陈设，嵌螺钿盒以美丽之螺壳嵌漆为之……"[2]，"漆篚漆后描金或浅刻，多用木坯施以瓦灰细工，漆制文具不一式……漆茶盘有圆式方式海棠花式多种，漆桌盒圆式或方式，漆插牌漆后或描刻青绿山水供陈设。……梁福盛出品赛会得奖"[3]。

光绪年间，梁福盛漆器作以花盆、果盘、帽筒、笔筒、砚盒、柬盒、捧盒（**图17-3**）、什锦提盒等面向内销，少量进贡清廷，年产万件左右。20世纪初至30年代，梁福盛号传到第三代梁体才时为最盛期。时值津浦铁路通车，上海口岸崛起，产品转向外销，品种转向刻漆、嵌螺钿、百宝镶嵌屏风，雇工200余人，平均每旬到半月就有一船漆屏风运出，年外销量2万～3万件。其刻漆屏风为大宗产品，往往以名人字画为粉本，漆面刻留阳纹，铲露漆灰，撒螺蚌沙屑，清雅出尘，简洁秀劲（**图17-4**）。

图17-3　［晚清］黑漆嵌螺钿富贵八方盒，梁福盛漆器作制，选自《中国漆器全集·清》

图 17-4　[近代] 郑板桥画兰竹刻漆挂屏，选自笔者《扬州漆器史》

梁福盛漆器借上海口岸打开了外销渠道，又经博览会宣传得享声名。其漆器产品前后获得1910年南洋劝业会金牌奖章与优等奖状、1914年江苏筹办巴拿马赛会出品协会展览会二等奖章、1915年农商部国货展览会三等奖章、1915年美国旧金山巴拿马太平洋万国博览会一等银牌奖章及江苏省地方文物展览会一等奖章、一等奖状、三等奖状等。战争接踵而至，梁福盛漆器作破产，第五代梁尚安改业教育，1948年闭店。

如果说沈绍安漆器多为日用器皿，有市民美术的亮丽，扬州梁福盛漆器则将产品扩大到外销家具和园林陈设，延续了扬州漆器的文人化特色。1915年美国旧金山巴拿马太平洋万国博览会上，有两件中国漆器分外引人注目。一件是福州沈绍安镐记的"脱胎漆水牛"，庞然大物重不过两公斤，一只手便可以轻轻托过头顶，令观众惊讶不已；另一件是扬州梁福盛号的"玉扎花漆盆景"，红漆地戗金花盆内，栽入翡翠磨洗的吉祥草、碧玉磨洗的万年青，青翠欲滴，晶莹透亮，珊瑚磨洗的万年青果子红艳照人。沈、梁两家漆器同时获得一等银牌奖章。从此，"南沈北梁"的佳话流传了开来。

注　释:

[1]《民国江都县续志》卷六《实业考》，扬州图书馆古籍部藏 1921 年刻本，第 3 页。

[2]《民国江都县续志》卷七《物产考下·嵌物之属》，扬州图书馆古籍部藏 1921 年刻本，第 34 页。

[3]《民国江都县续志》卷七《物产考下·髹物之属》，扬州图书馆古籍部藏 1921 年刻本，第 37—38 页。

十八、走向现代

近现代，中国漆苑出现了李芝卿、沈福文两位先生。两位先生以现代观念注入髹饰工艺，开创出了能够表现当代生活、传达现代观念的工艺语言，为髹饰工艺的纯艺术之变作了观念与工艺的铺垫，也因此而生命永辉，令人追念。

福州李芝卿先生（1894—1976）少年时期在福州漆艺传习所随中国人林鸿增、日本人原田学习漆器工艺，1924年追随原田赴日本长崎美术工艺学校深造，1926年回国，先后在福州惠儿院、"沈绍安兰记"担任漆器技师，1934年，其仿古铜脱胎漆器"孔子""岳飞"等选送美国芝加哥世界博览会展出获奖。40年代，李芝卿先生创办永安归侨漆器合作社，1956年进福州工艺美术研究所，继而进福州脱胎漆器公司（福州第二脱胎漆器厂前身），耄耋之年才停止工作。

李芝卿先生以中华传统髹饰工艺为主干，融通日本髹饰工艺，创造性地发掘发明了 "台花"[1]、"沉花"[2]（图18-1）、"流花"[3]、"浮花"[4]（图18-2）、"描花"[5]等一系列髹饰工艺，福州漆器业称其"五朵金花"。究其实质，"台花""沉花""流花"从唐已有之的填嵌工艺中翻出，"浮花""描花"在《髹饰录》中各有记录。李芝卿敢于打破传统髹饰工艺的分类藩篱，灵活错综地驱遣工艺。如：传统工艺中，罩透明漆最忌磨破，李芝卿偏偏于胎上起凸，用箔粉罩透明漆局部磨破，使漆面金光有明有暗，漆下肌理变幻莫测，贴金、罩明、磨破三法，从此为中国漆画家广泛运用。再如：李芝卿融合传统的彰髹、犀皮工艺，参酌日本变涂，错综变化、独辟蹊径地制为漆艺样板一百块。这一百块漆艺样板，有如碧潭秋水，有如夕阳西坠，有似苍苔斑驳，有似泣血杜鹃，有像朝晖夕影，有像霜叶雾凇……色纹奇巧，变幻百端，

图 18-1　[现代]沉花条纹漆花瓶，作者：李芝卿，林荫煊先生供图

图 18-2 ［现代］浮花璎珞纹漆花瓶，作者：李芝卿、
高秀泉，笔者摄于福建博物院

成为现代漆画最基本的工艺语汇。区别于清代沈正镐创造的薄料拍敷，福州漆艺界将李芝卿先生灵活错综的磨显填漆工艺系列称为"厚髹填嵌"（**图18-3**）。李芝卿先

图 18-3　[现代]厚髹填嵌漆样板一百块，作者：李芝卿，选自《福建工艺美术》

生的《鼓山风景》小品（1956年）、《武夷风光》大屏风（1959年）取材现实生活，用螺钿、金银箔、干漆粉等材料绘画，"形"或埋于透明漆下，或与漆面相平，或在漆面播撒漆粉成像，或高于漆面，其中有对中日漆艺、对西方架上绘画精髓的汲取，见出他将传统漆艺翻为纯艺术的自觉意识。

小李芝卿15岁的福建人沈福文先生（1909—2000），因大学生涯参加学生运动被开除，继而被捕入狱，出狱后流亡日本，拜日本"人间国宝"松田权六为师学习漆艺。归国后，他远赴敦煌采风，以研磨彩绘工艺表现敦煌图案，制成漆盘（**图18-4**）、漆瓶等100多件，举办"沈福文教授敦煌图案漆艺展"，徐悲鸿等名流纷纷执笔评价。五年内，沈先生在成都、上海、南京、兰州等地连续举办了六次个人漆艺展。1939年，沈先生参与创办四川省立艺

图 18-4 ［现代］平地研磨彩绘敦煌图案漆圆盘，作者并供图者：沈福文

专，后任四川美术学院院长。他将在日本所学平莳绘、高莳绘[6]、肉合莳绘与中华传统髹饰工艺融合。其作品"绿沉金堆漆蝉纹漆花瓶"（**图18-5**）金箔沉在绿透明漆下，闪闪烁烁，用从日本学来的高莳绘工艺堆出蝉纹，前后100多道工序，溢彩流光又典雅庄重，为北京故宫博物院收藏。他又将融通中日的髹饰工艺推广到学院，继而推广到四川漆器企业，从此，漆下研磨彩绘[7]、平地研磨彩绘[8]、高漆研磨彩绘成为四川特色髹饰工艺。沈先生于81岁之年进京举办"沈福文个人作品展"。其漆下研磨彩绘"晨曦漆盘"，盘心红日喷薄，霞光四射，单纯的图像蕴藏着深厚的意蕴，充分表现出大漆瑰丽神奇的美；平地研磨彩绘"太空盘"用薄螺沙屑撒出太极图画，简约又充盈着生生不灭的动感；高漆研磨彩绘"锦鲤"，鱼腹高出漆面而鱼尾深藏漆下，锦鲤红鳞闪烁。

图 18-5 ［现代］绿沉金堆漆蝉纹漆花瓶，作者并供图者：沈福文

　　李芝卿先生的"厚髹填嵌"与沈福文先生的"研磨彩绘"，地域称呼不同，其实都通向明代《髹饰录》记录的"磨显填漆"。《髹饰录》记"磨显填漆"五法：绮纹填漆、彰髹、犀皮三法指向磨显为自然肌理，嵌螺钿、嵌金银两法指向磨显为图案[9]。也就是说，古代"磨显填漆"五法都没有指向磨显为绘画。李、沈两位先生率先将传统的"磨显填漆"工艺引向了绘画创作。从此，"磨显填漆"成为现代漆画的语言之本，后世漆画创作凡正本溯源，大体通向中国传统髹饰工艺经过李、沈二氏消化借鉴升进以后的"磨显填漆"。李芝卿先生的厚髹填嵌、沈福文先生的研磨彩绘，成为近现代髹饰工艺史上永远飘扬的旗帜。

注　释:

[1]台花：台或为"刳"，即锡片平脱，从传统金银平脱蜕变而来，在胎上贴锡片刻花，髹漆干固后研磨显花，成都漆工称"银片刻花罩漆"。

[2]沉花：或称"隐花""暗花"，从传统彰髹加金等发展而来。

[3]流花：用稀释剂兑入色推光漆成漂流漆髹涂于湿漆面，用漆刷、丝瓜络牵引湿漆流动，使不同颜色的推光漆相互驱赶渗化，成唐三彩或宋窑变般的花纹。

[4]浮花：从《髹饰录》记录的"堆彩"工艺发展而来，用生漆、鱼鳔胶、熟桐油调拌香灰、蛤粉成细腻可塑性极强的锦料，捶打按入阴模，快刀切平反面后脱模，翻出浮雕纹样，贴于漆面。

[5]描花：从《髹饰录》记录的"描饰"工艺翻出。

[6]高莳绘：用水练砥粉（相当于中国"漂过砖灰"）入漆逐层堆起图像，逐层待干，待干固，精细研磨，或擦拭生漆，或髹绘彩漆，待干固，研磨，灰擦，推光。重庆漆艺界称"高漆研

磨彩绘"。

[7]漆下研磨彩绘：从明代磨显填漆发展而来，同时借鉴了日本研出莳绘工艺。两者不同在于：漆下研磨彩绘以彩漆埋伏花纹全面髹漆待干固磨显出花纹，日本研出莳绘以粗金银丸粉埋伏花纹全面髹漆待干固磨显成花纹。

[8]平地研磨彩绘：在漆面描绘图像，入荫室等待干固以后，不全面涂漆也不全面研磨，只研磨图像，吹干透，灰擦，推光。

[9]长北：《〈髹饰录〉与东亚漆艺》，人民美术出版社，2014年，第126—146页。

十九、时代荣光

漆画在中国古已有之，战国秦汉漆器上的漆画，尤其奇思烂漫。古代漆画与现代漆画的根本区别在于：前者依附于漆器而存在，属于工艺美术；后者则是不依附于器皿的纯艺术。中晚明，江南以款彩屏风模仿书画，其重视整体陈设效果，却不重视个体精神表现，因此仍不能划归纯艺术（**图19-1**）。当下，作为工艺美术的漆画与作为纯艺术的漆画时常形态错综，难以区分。其量尺是：前者"为他"（加工），后者"为我"（我想画）；前者重物质价值，后者重精神价值。

近现代，日本漆艺反传到中国，法国架上绘画及其创作观念的影响，越南磨漆画工艺及其艺术表现……外来文化一波一波进入中国，为现代漆画的降生营造了外部条件。而从内因说，漆画从依附于工艺美术脱胎成为纯艺术，观念突破的领军人物是雷圭元、庞薰琹两位先生，语

图 19-1　[清初] 款彩《松鹤图》六折围屏，巴黎吉美博物馆藏，《湖上 》杂志供图

言转换的领军人物则是前节所言李芝卿、沈福文两位先生。到第一代漆画家乔十光、王和举手上，中国的现代漆画完成了向纯艺术的蜕变，完成了形态的独立和体系的确立。1984年第六届全国美展上，漆画被承认并确立为与"油画""版画""国画"平起平坐的独立画种。

　　福建是磨显填漆漆画正宗法门的发源地，王和举

（1936—　　）从四川美术学院毕业后入闽，完美传承了沈福文的研磨彩绘工艺与李芝卿的厚髹填嵌工艺，成为福建现代漆画的祖师和标杆。

北京乔十光（1937—2022）既能融汇传统，又能广容并取，不断创新，与时俱进。他调查全国原产地髹饰工艺，自觉建构现代漆画扎根于传统的语言体系；他创造性地发明了铝箔粉罩明研绘工艺，使道林纸般无法晕染的黑漆板变为宣纸般可以吸色的银色粉粒板，随上粉工艺的不同，或如生宣，或如熟宣，其上可以任意渲染描画，甚至可以出现水墨晕章般的效果，大大拓宽了漆画表现人物的深度空间，《梳妆的傣女》（**图19-2**）脸、手、足和芭蕉林都是在粗铝粉地上用漆渲染描画而成的，铝粉地罩明研绘工艺普及开来，成为现代漆画的常用语汇；他将不名一文的"蛋壳"拿来用于漆画，使之具备了可虚可实、可明

图 19-2 ［现代］粗铝粉地罩明研绘漆画《梳妆的傣女》（1978 年），
作者并供图者：乔十光

可暗的造型能力，《苏州风景》（**图19-3**）将嵌蛋壳工艺
运用到了出神入化；他最先将抽象语言引入漆画，如用彩

图19-3　[现代]嵌蛋壳漆画《苏州风景》（1963年），作者并供图者：
乔十光

漆漂流工艺创作漆画《放射》（1985年），用嵌蛋壳工艺创作漆画《苍穹》（2009年）；他罹患疾病以后，悠游于速写、水墨、彩墨与书法之间，速写、水墨画、彩墨画与书法各个披上了"漆"的新装，走进了他的漆画，如《闽江彩舟》（2009年）有水彩画的透明，《忆江南》（2008年）则是在铝粉地上画速写，恰到好处地表现出了白居易《忆江南》"春来江水绿如蓝"的轻快意境。乔十光成为中国现代漆画画坛贡献最大的漆画家和旗手型人物。

泉州陈立德（1948—　）本为油画家，70年代初偶然接触漆画，从此一发不可收。作为第二代漆画家，他自觉选择深度写实，率先使绘画性成为创作自觉，从而在举目一片装饰风中脱颖而出。1989年第七届全国美展上，陈立德《皓月红烛》（**图19-4**）画华侨老迈归乡与发妻团聚，表现出人物悲欣交集的情感世界，一举夺得第一枚全国美

图 19-4 [现代]漆画《皓月红烛》（1989 年），作者并供图者：陈立德

展漆画金牌，开全国美展漆画获得金奖之先。他身居小城却特擅容取，对技法外松内紧，用于所当用，《欧行札记》系列作品画自己游历西欧的独特视觉体验，《欧行札记之双子教堂》（2011年）微妙的灰色基调中分明可见油画的笔触与光影，《欧行札记之金秋公园》（2011年）以黑色与金色的强烈对比营造出油画般的绮丽，人物造型又有版画的简练。正是依托深厚的油画功力，加之浸染于福建深厚的磨显填漆工艺氛围，陈立德成为第二代漆画家中思想最新、画路最宽、绘画性最突出、驱遣工艺既娴熟又有分寸、功力深厚又有爆发力的漆画家。

福州沈克龙（1964—　　）作为第三代漆画家，作品颇具大匠风范——这"大"不是指作品体量，而是指作品的视觉张力。他初以"涉事·沉吟"为题举办个人漆画展，《佛生》（2012年）、《观自在》（**图19-5**）系列等，形

图 19-5　[现代]漆画《观自在》系列之一（2012 年），作者并供图者：
沈克龙

象在有无隐露之间，恰到好处地表现出了石窟中光影朦胧神秘杳冥的历史氛围。他到处游学，广览博取，大步跨越，2017年又以"气象"为题，在京再度举办个人漆画展，亚光深黯、凸起不平、遮挡重叠、云遮雾掩……表现出宇宙天地间渺远幽深、朦胧神秘、"阴阳气度之流行"的"大象"。显然，沈克龙二次个展的主题已经放而至于天地——这其中既受西方抽象绘画影响，更有中华传统艺术源远流长的宇宙大生命意识。漆画《裁影》故意斜挂，故意在漆板上加钉横竖错落的块面，于是，白墙参与进了画面的平面分割，墙上投影也参与了画面构成；漆画《壁上观》八九块大小不一的漆板有平置，有斜挂，有叠合，有错落，有往前开张，有向壁内敛，有如云水流动般辉煌灿丽，有似雾霭沉沉般静穆庄重，调动展厅空间参与作品构成，作品命名同样在暗示观众：此画宜作壁上观。沈克龙的创作，既坚守大漆传统，又审美超前，既得自对传统髹饰工艺的体悟与反思，又与古人今人绝无雷同相似。他敢于向着漆器固底材料被埋藏沉睡了几千年的视觉冲击力作深度开掘。于是，固化了的工艺程序转化成为活性十足的个性创造，最粗砺、最质朴的自然材料，传达出高雅的、静穆的、含蓄的、庄重的美。

　　回望全球，日本并没有将漆画推衍成为独立画种，因为大和民族理性多于感性，莳绘工艺太过纤巧精密，不利于主体情感的自由传达。越南漆画尽管在中国漆画之先独立，毕竟根基不深，多从油画翻出。而中国的现代漆画，既有深厚的本土传统和鲜明的民族特色，又有超常的包容量和自我更新能力，论表现社会生活的深度，论主体情感的传达，论技法内涵的深厚，论视觉张力，东亚各国漆画皆不能比中国现代漆画之一二。原中央工艺美术学院院长张仃先生感言说："漆画是民族土生土长的艺术，是古为今用在美术上最为可喜的成果。"[1]中国的现代漆画作为中国现代艺术的时代荣光，已经在中华艺坛，也必将在世界艺坛大放光彩。

注　释：

[1] 长北:《新兴的画种——漆画》,《艺术家》1993年第9期。

二十、守正创新

中国天然漆髹饰博大精深、丰富精微的工艺体系，是在漫长农业社会中逐步创造、缓慢积累的。一方面，工业社会飞速运转的生活节奏使慢社会形态中以慢节奏为特色的手工技艺以飞快的速度消失；另一方面，人的智性总是在发展，材料和工具总是在不断地更新，发明创造代无止境。借时代大潮的推进，当代一些漆艺家融会贯通灵活驱使工艺的智性和能力，大大超越了古人。试举几例：

前已有言，中国的描金漆器上，金属箔粉浮在表面难以耐久，时间一长便花纹漫漶。明中期以后，融通中日髹饰工艺的"漂霞"（隐漆）也只不过制造简单意象花纹而非研磨为深邃图画。当代，福州郑益坤（1936——　）首创金属箔粉罩透明漆研绘。郑先生的拿手绝活是画金鱼。画金鱼的漆艺家不胜列举，"郑金鱼"非彼金鱼（**图20-1**）。他在用漆画金鱼局部表干之时，晕金、银、铝箔粉

图 20-1　[现代] 箔粉研绘漆画《水欢鱼乐》，作者并供图者：郑益坤

待其实干，染罩透明漆待干，再用漆画金鱼局部表干之
时，晕金、银、铝箔粉待其实干，染罩透明漆待干，如此
反复，逐步扩大绘画、上箔粉、罩透明漆与研磨范围，画

完按明暗晕完箔粉以后，染罩透明漆入荫室等待干固，做最后的研磨。鱼脊背靠近水面看得分明，其上金银箔粉理应明亮，起始画鱼脊背时就得垫高垫厚；鱼腹深藏水底，其上金银箔粉要深藏于透明漆下，起始画鱼腹时就得画薄。鱼脊、鱼鳍、鱼腹、鱼尾，绘画厚度各个不同，逐步垫高画完，其上交迭使用金属箔粉与透明漆，箔粉有金色有银色，罩透明漆有厚有薄，赖透明漆的半透明性，反复画反复用箔粉反复罩透明漆反复研磨，箔粉有被磨露，有深藏漆下，最后推光，漆下金银有红有黄有白，鱼有藏于"水"中，有露出"水"面，有尾巴藏于"水"中、眼睛露出"水"面，极为逼真地表现出了鱼游碧水的深邃意境。王朝闻先生见郑益坤漆画鱼藏漆下可望不可即，笑言郑益坤画的鱼足以"气死猫"。从此，"金鱼坤"雅名远传。郑益坤先生绝技是传统描金罩漆工艺与传统填嵌工艺在当代跨越性的融通，其中有东邻莳绘的影响却绝非照搬。东邻莳绘材料昂贵，工艺精密，缺少变化，郑益坤先生以中国人的智慧灵活使用金属箔粉，营造出远胜日本金丸粉莳绘的视觉美。在铝箔粉和型号丰富的人造磨石诞生之前，中国的工艺家是绝难创造出如此重复用金属箔粉、重复罩透明漆、以多层次叠加灵活研磨取胜的高难度绝技的。

　　论整合前人工艺，另一位创新有成的漆艺家是厦门蔡水况先生（1939—2021）。前已有言，宋代漆工发明了识文描金工艺。清代，闽、台漆工用漆冻[1]搓捻成长线，在佛像上盘绕为衣锦，或在器皿上盘绕为阳纹图案。现代，闽南漆工将盘绕漆线与捻、塑结合起来，使漆阳纹具备了"雕"的意味，成为"识文"[2]和"堆起"[3]结合的"漆线雕"。闽南蔡氏漆工世家第11代传人蔡文沛将作坊迁到厦门，第12代传人蔡水况是国家级非物质文化遗产传承人。在蔡水况先生手中，漆线有双盘，有单盘；有用"龙鳞印""花蕾印""叶形印"等工具捺、塑出龙头、狮头、花叶等高浮雕底形，再用漆线在高浮雕底形边盘边绕出龙鳞花筋叶脉。蔡水况还以阳纹加浮雕工艺为基，创造性地加之以金色阴纹。其制造阴纹的方法有："正把"，挖掘业已失见的"锥金"工艺，将彩漆平涂在金箔地上，干后，用针划为花纹，露出金箔，金线在下，彩漆图像在上，纹如刺绣；"假把"，用毛笔在金箔地上画图案，局部留空显露金线，《髹饰录·描饰》章记为"疏理为阴"。蔡文沛先生作品《郑成功收复台湾》，飘动的旗帜两面盘绕云龙纹，细致令人叹为观止；蔡水况先生作品《郑成功像》铠甲上的云龙纹（**图20-2**）更为精绝，背景云纹细如发丝，龙眼、龙髯粗壮有力。可见，蔡氏世家整

图 20-2　[现代]《郑成功像》铠甲上的云龙纹，作者并供图者：蔡水况

合传统"识文""堆起""锦塑""锥金""疏理"诸种

工艺，塑造出自身作品的个性。

　　论整合前人传统，还有一位创新有成的漆艺家是宁波

李光昭先生（1941—　　）。宁波泥金彩漆工艺明代就已经

载于《浙江通志》，漆桶、漆提篮等嫁妆以"识文描金"

与"隐起描金"装饰，宁波民间称"浮花"。现代，宁波泥金彩漆获批为"国家级非物质文化遗产"。李光昭及其前辈何月桂，将宁波"泥金彩漆"推衍而成"堆漆泥金银彩绘"，工艺是：用漆冻在完成中涂的漆板上堆起图画，将赤金箔、黄金箔等研磨成金泥，用拇指腴拍打在堆起的图像上，用狼毫笔扫入刻纹，待泥金银图像干透，再反反复复地锥刻，反反复复地补金，用透明色反反复复地渲染，使金银从彩色下隐现。一幅堆漆泥金银彩绘大挂屏，需要四个人做大半年。传统泥金彩漆多在器具上堆出识文图案，堆漆泥金银彩绘在屏风上堆起图画；传统泥金彩漆红、绿、蓝、金装饰趣味浓郁；堆漆泥金银彩绘写实而有装饰趣味；传统泥金彩漆很少雕刻，堆漆泥金银彩绘以浮雕见长，金银图像上再加之以细钩纤皴；传统泥金彩漆民间风味浓郁，堆漆泥金银彩绘用"泥金""锥金""凹凸金"加透明色，使浮雕图画金上有银，金上有金，金上有彩，有江南小桥流水般的柔美清丽，大大拓宽了传统髹饰工艺的艺术表现能力。李光昭堆漆泥金银彩绘挂屏《群仙祝寿》人物传神生动，有陈老莲笔意；堆漆泥金银彩绘地屏《钟馗嫁妹》（**图20-3**）鬼魅活灵活现，令人忍俊不禁。

　　扬州阚凤祥作为后起之秀（1959—　　），以好动脑筋、喜欢创新为人称道。说是后起之秀，其实从艺已在四十年以上。古代 "玉扎花漆盆景"于玉花瓣上打洞穿入铜丝，铜丝外露，花形难免僵硬，人工束扎的痕迹十分明显。阚凤祥挑战传统，寻求超越，策划并领衔制作出了多盆"玉扎花雕漆盆景"（**图20-4**）：以钻石粉工具头先琢出立体的牡丹花心，再以钻石粉工具头琢出翻卷自如的花瓣，每瓣花瓣背面留桩插入外层花瓣，从而使每瓣紧密靠拢，成功地攻克了古代玉扎花漆盆景玉质花瓣较厚、花

图20-3 [现代]堆漆泥金银彩绘地屏《钟馗嫁妹》局部,作者并供图者:李光昭

形很难饱满、瓣与瓣很难束扎的难关，玉质牡丹枝枝饱
满，花花娇嫩，叶叶如生，大大超越了传统玉扎花剔红盆
景的审美高度，获得"漆花杯中国漆器艺术精品展金奖"
等多种奖项。阚凤祥被评为国家级工艺美术大师。如果没

图 20-4 ［现代］玉扎花"艳冠群芳"雕漆盆景，作者并供图者：阚凤祥

有古代"玉扎花漆盆景"的启迪，没有现代工具的更新，好动脑筋的阚凤祥也束手无策。

以上创新者，都与传统手艺终身摩挲，熟悉传统工艺的各道流程，既知其长，亦知其短，从而整合传统，翻为新样，突显出自身的创作个性。可见，创新正道绝非将传统当作污水泼弃另起炉灶，创新的源头乃在传统活水。这样的创新，笔者称之为 "守正创新"，亦即《髹饰录》强调的"温古知新"。传统是一条生生不息的大河，给漆艺家以永远的创新借鉴。新生代理应努力学习传统，弘扬创作个性，坚持守正创新。现代人有现代思想、现代智性，必定会推动中国的现代漆艺合着世界前进的脚步，代有生新。

注 释：

[1] 漆冻：指用精制漆、明油、蛤粉等调配出的油漆混合灰，细腻、可塑性好，用于堆起识文或浮雕画面。

[2] 识文：指阳纹。《通雅》："款是阴字凹入者，识是阳文挺出者。"

[3] 堆起：《髹饰录》单列一章，指堆塑有体积感的图画。

二十一、回归绿色

　　中国经济转型以后，百姓渐有余资，重又燃起了对手工艺品的热爱之情，国内艺术市场比以往任何一个历史时期都活跃。但也毋庸讳言，拜金主义使人心浮躁，手工艺人难以沉下心来钻研手艺。随着国门打开，化工涂料进入国内，天然漆髹饰的漆器渐成稀有，天然漆髹饰工艺被逼到了边缘地带。

　　中国的手工技艺渡尽劫波，终于迎来了形势空前利好。1997年，联合国教科文组织大会通过了《人类口头和非物质遗产代表作》的决议；2003年，联合国教科文组织大会通过了《保护非物质文化遗产公约》。中国各地形成了保护非物质文化遗产的热潮，林林总总的原产地漆器髹饰工艺进入了各级"非物质文化遗产保护名录"，手工艺人社会待遇空前提高，创造热情被空前激发。各行各业的人都参与到了保护手工技艺的热潮之中，各地纷纷举办各种漆艺培训班，天然漆髹饰技艺广为流传，深入人心，其中的某些技法已经空前普及。

有鉴于手艺根基的被动摇和销售市场的空前利好，笔者早就提出"绿色漆艺"的观点，呼吁国人自觉地、有意识地回归天然材料手工工艺[1]。绿色漆艺也就是大漆髹饰工艺才是真正的漆艺。回归绿色漆艺不是复古，而是人类从工业文明迈向生态文明新形势下髹饰工艺的新生。在环境保护成为新话题的当下，各原产地漆艺家正在回归绿色漆艺，化工漆作者正在转向，致力于学习绿色漆艺。中国的现代漆艺正在从更高的起点回归"绿色"，做出超越传统的不凡业绩。

宝岛台湾先于大陆重视传统工艺的保护与创新。台湾文化资产总管理处只任命了两位传统工艺漆器类技术保存者，一位是百岁高龄的王清霜先生（1922—　　），一位是年过七旬的黄丽淑（1949—　）。王清霜早年多次往日本研习绘画与漆艺，以擅制莳绘漆器享名宝岛，2007年荣获台湾"工艺成就奖"。黄丽淑1972年从台湾艺术专科学校（即今台湾艺术大学）美术工艺科毕业，先后去日本考察漆艺十余次，又先后十余次往福州、扬州、成都、北京等漆器企业调研考察；1997年赴日本东京国立文化财研究所向中里寿克学习莳绘，1998年赴日本冲绳工艺研究所学习堆锦。日本漆艺和大陆漆艺的研习，使她如虎添翼。她灵活运用中、日多种髹饰工艺，创作出多件漆器漆画，在台湾多次举办个人作品展并赴世界各地展出。在将自身手艺推向高端的同时，她倾力于普及髹饰工艺，将漆器推进现代生活（**图21-1**）。她先后接受台湾文化事务主管部门委托举办了五届工艺传习，学员达五六十人，加上她退休前承办的传习，她的学生已达百人之众。

图 21-1　[现代] 朱髹消粉莳绘婚礼用漆茶具，作者并供图者：黄丽淑

　　作为中国渊源有自的漆器产地，四川成都髹饰工艺有两千年以上的历史。在各原产地漆器纷纷沦陷为化工涂料产品的年月里，成都漆器厂仍然坚持用天然漆髹饰漆器，仍然坚守当地特色工艺。"坚守"，指对地方特色工艺的坚守、对天然材料的坚守，非指对旧功能、旧审美趣味的坚守。国家级非物质文化遗产项目成都漆艺代表性传承人尹利萍（1953—　　）正是成都漆器厂的一面旗帜。她1975年进厂学艺，1980年、1984年在四川美术学院漆器设计专

业、中央工艺美术学院装饰绘画专业进修。截至目前，从艺已达47年。她的作品，如"锡片平脱梅花竹叶纹朱漆撞盒"、"锡片平脱梅花纹朱漆琼形瓶"、"嵌蛋壳撒粉研绘琼花图黑漆盘"（**图21-2**）等，莫不娴熟运用成都地方特色髹饰工艺，多件被藏于中国工艺美术馆珍宝馆。作为全国"非遗"保护先进个人，她被派往法国、土耳其、韩国、日本等国进行文化交流，回国以后，将莳绘、变涂等工艺化入创作，新作"便携式漆茶具《清风》"八件/套，由外盒、茶杯、功夫杯、茶盘、茶海组成，锡片平脱的叶片上晕染透明漆，局部莳以金粉，嵌以螺钿，突显出了茶叶浮游水中的清凉意境。

　　山西平遥也是中国渊源有自的漆器产地，漆艺家薛晓东（1962—　　）是中国工艺美术大师薛生金先生长子。他1987年从福建工艺美术学院毕业即往中央工艺美术学院漆

图 21-2 [现代]嵌蛋壳撒粉研绘琼花图黑漆盘，笔者摄于成都漆器厂

艺专业进修，此后往境内外各地考察，2001年回平遥主持
薛生金工作室。区别于老一辈重视传统功力，薛晓东更重
视广纳并取。他有感于平遥干设色漆器曾经有名而于现代
湮没，致力于恢复传统工艺，其作品"莳绘干设色漆盒"
（**图21-3**），用干设色制为雪白的鸟羽，而于盒盖削出小
块斜面用金粉莳绘，与孔雀翎上的金粉莳绘呼应，黑、白、

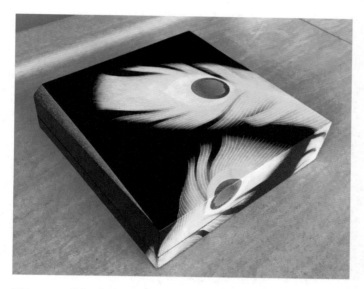

图 21–3　[现代] 莳绘干设色漆盒，作者并供图者：薛晓东

金三色，简洁明快，极具现代美感和超前意识；其漆画《故土》漆的黑和蛋壳的白有版画之美，入选第九届全国美展；漆盒《翔》为国家博物馆收藏。薛晓东成为中国年轻的工艺美术大师，薛门家传，两代大师，被业内传为佳话。

　　时代总是在前进。当下，大师、传承人们往往不再满足于子承父业，不再愿意如《髹饰录》批评的"独巧不传"，也就是夜郎自大守着一技之长秘不传人，而是扎根在研究机构或是企业，出入科班学习，进出于省内省外、境内境外，广开眼界。因此，他们能够真正理解传统，尊重传统，化用传统，从传统中汲取养分，拿来形成自己的创作个性。随着人们生态意识的自觉，越来越多的人认识到：天然漆漆器耐得千百年保存，化工涂料对从业者和使用者身体都造成伤害，从而自觉地选择天然漆艺术品，疏远化工涂料批量制品。中国的天然漆髹饰工艺未必能够也不一定非得完整照搬传承古代工艺，东洋西洋的八面来风，已经熏陶出中国天然漆髹饰工艺的出蓝之人。

注　释:

[1]长北:《"绿色漆艺"——中国漆艺的守望》,《美术观察》2008 年第 11 期。

结语：髹饰之美

　　以上短短的篇幅之中，笔者与读者共同走过了中华髹饰工艺的八千年历程。在漫长的农业社会，以诗教为传统的中华古人穷究深研髹饰工艺这一静观的、精微的、富有情感的艺术，顺应天时地气，利用天然美材，运之以巧手匠心，将天然漆的装饰潜能发挥到了极致，使天然漆髹饰工艺具备了无与伦比的包容性和表现力。大漆髹涂的漆器，美感谦冲而温厚，含蓄而神秘，成为中华古人温柔敦厚气质的象征。中华漆器深沉典重的色彩基调和优雅静穆的审美趣味，深刻地影响了中国造物艺术形成庄重、沉郁、含蓄的色彩基调和重咀嚼、重把玩的审美品味，影响了东方乃至西方的视觉艺术。17世纪下半叶至18世纪西方巴洛克、洛可可家具与室内墙壁大面积贴金，大面积用中国髹饰工艺做装饰，正可见明末清初中国漆器装饰风的影响。

通过对中华髹饰工艺历史的简单巡礼，人们可以看出，中华先民对于天然漆的认识和把握是渐进的。正是在对天然漆认识不断深化的过程之中，在新材料新工具不断被发现被发明的过程之中，天然漆髹饰工艺不断被更新被创造。全世界的发明创造是中华髹饰工艺不断更新的外作用力，工匠文化修养的提高、艺术眼界的拓宽等，则是中华髹饰工艺不断更新的内作用力。中华髹饰工艺仍在不断更新的行程之中。

工业革命以来，尽管化工涂料工艺快捷方便，天然漆髹涂的美感仍然为化工涂装所无法企及。化学涂料多用于防护性涂刷，天然漆多用于艺术品髹饰。现代，天然漆除用于漆器、漆画、古建筑修复之外，又因其涂层耐冲击，耐一定光照，其防锈性能、绝缘性能、防海洋生物附着和原子辐射的能力，被用在交通运输、国防工业等尖端科研事业之中。天然漆髹饰工艺前景光明。笔者有理由相信，国人会从珍惜生命、保护环境出发，重视并且开发大漆资源，重视并且珍爱天然漆艺术品，合力推进髹饰工艺向着绿色手工艺回归。中国的髹饰工艺将为中华赢来新的荣光，成为中华手工艺跨入现代生活、传达现代审美的标杆。

参考文献

［1］索予明. 中华五千年文物集刊：漆器篇［M］.

台北：台北故宫博物院，1984.

［2］台北故宫博物院编辑委员会. 海外遗珍：漆器

［M］. 台北：台北故宫博物院，1987.

［3］索予明. 中国漆工艺研究论集［G］. 台北：台

北故宫博物院，1977.

［4］台北故宫博物院. 和光剔采：故宫藏漆［M］.

台北：台北故宫博物院，2008.

［5］北京故宫博物院. 故宫博物院藏雕漆［M］. 北

京：文物出版社，1985.

［6］王世襄. 中国古代漆器［M］. 北京：文物出版社，1987.

［7］夏更起. 故宫博物院藏文物珍品大系：元明漆器［M］. 上海：上海科学技术出版社，2006.

［8］李久芳. 故宫博物院藏文物珍品大系：清代漆器［M］. 上海：上海科学技术出版社，2006.

［9］中国漆器全集编辑委员会. 中国美术分类全集：中国漆器全集［M］. 福州：福建美术出版社，1993-1998.

［10］中国现代美术全集编辑委员会. 中国现代美术全集：漆器［M］. 石家庄：河北美术出版社，1998.

［11］中国历代艺术编辑委员会. 中国历代艺术［M］. 北京：文物出版社，1994.

［12］沈福文. 中国漆艺美术史［M］. 北京：人民美

术出版社，1992.

　　［13］长北. 髹饰录图说［M］. 修订本. 济南：山东画报出版社，2021.

　　［14］长北.《髹饰录》与东亚漆艺：传统髹饰工艺体系研究［M］. 北京：人民美术出版社，2014.

　　［15］长北. 扬州漆器史［M］. 修订本. 南京：江苏人民出版社，2017.

　　［16］长北.《髹饰录》析解［M］. 南京：江苏凤凰美术出版社，2017.

　　［17］长北. 长北漆艺笔记［M］. 南京：江苏凤凰美术出版社，2018.

　　［18］长北. 中国传统工艺集萃：天然漆髹饰卷［M］. 北京：中国科学技术出版社，2018.

　　［19］长北. 中国工艺美术全集：江苏卷·漆艺篇

〔M〕. 北京：人民美术出版社，2020.

　〔20〕长北. 中国手工艺：漆艺〔M〕. 郑州：大象出版社，2010.

　〔21〕张燕. 漆艺春秋〔M〕// 顾云，滕振才. 中国文化杂说：艺术文化卷. 北京：北京燕山出版社，1997：207-230.

　〔22〕张燕. 二十世纪中国漆器艺术〔J〕. 文艺研究，1997（3）.

　〔23〕长北. 中国现代漆画的历史进程及当下困境〔J〕. 美术，2017（4）.

　〔24〕松涛美术馆. 中国の漆工芸〔M〕. 东京：松涛美术馆，1991.

　〔25〕根津美术馆. 宋元の美：伝来の漆器を中心に〔M〕. 东京：根津美术馆，2004.

　　［26］屈志仁. 东亚漆器［M］. 纽约：大都会博物馆，1991.

　　［27］香港中文大学文物馆. 中国漆艺二千年［M］. 香港：香港中文大学画廊，1993.

　　［28］李宗宪. 东亚洲漆艺［M］. 首尔：北村美术馆，2008.

　　［29］李宗宪. 中国漆器之美［M］. 首尔：北村美术馆，2007.